AF275226

COLEX

GRACIAS POR CONFIAR EN COLEX

Disfrute gratuitamente DURANTE UN AÑO

de los eBook, audiolibros y Colex Copilot de las obras de Editorial Colex*

ACTIVA TU CÓDIGO PARA ACCEDER A LOS SERVICIOS

1. Accede a **www.colex.es**.

2. Inicia sesión o regístrate como usuario.

3. Dirígete al menú de usuario y haz clic en **«Mis códigos»**.

4. Introduce el siguiente código **(RASCA PARA VER EL CÓDIGO)**:

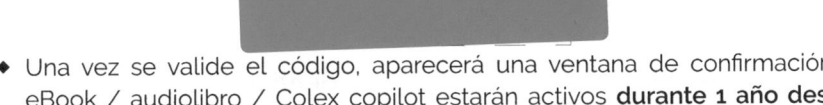

◆ Una vez se valide el código, aparecerá una ventana de confirmación y su eBook / audiolibro / Colex copilot estarán activos **durante 1 año desde su activación** en la pestaña «Mis libros» en el menú de usuario.

---

* Los audiolibros están disponibles en las ediciones más recientes de nuestras obras. Se excluyen expresamente las colecciones «Códigos comentados», «Biblioteca digital» y los productos de www.vademecumlegal.es. Colex Copilot únicamente está disponible en las ediciones más recientes de las colecciones «Paso a paso» y «Vademecum».

No se admitirá la devolución si el código promocional ha sido manipulado y/o utilizado.

¡Gracias por confiar en nosotros!

La obra que acaba de adquirir incluye de forma gratuita la versión electrónica.

Acceda a nuestra página web para aprovechar todas las funcionalidades de las que dispone en nuestro lector.

Funcionalidades eBook

Acceso desde cualquier dispositivo con conexión a internet

Idéntica visualización a la edición de papel

Navegación intuitiva

Tamaño del texto adaptable

Síguenos en:

NUEVA FUNCIONALIDAD CON INTELIGENCIA ARTIFICIAL EN LOS LIBROS DE COLEX

| Una cortesía de Iberley.es |

En Colex damos un paso más en innovación jurídica. Desde ahora, las guías «Paso a paso» y los «Vademecum» incorporan una nueva funcionalidad basada en **inteligencia artificial**, gracias a la tecnología de **Iberley IA**.

El lector podrá interactuar directamente con el contenido del libro de forma inmediata, útil y centrada exclusivamente en su materia.

☑ **¿Qué puede hacer el usuario en el libro?**

 💬 Realizar preguntas sobre el contenido del libro.

 📦 Solicitar explicaciones de artículos, conceptos o normativa.

 ☀ Utilizar un ChatBot inteligente, contextualizado y acoplado al contenido legal del libro.

 💡 Resolver dudas puntuales mientras se estudia o trabaja con la obra.

☒ **¿Qué no puede hacer esta versión del ChatBot?**

 ✗ No permite generar escritos jurídicos.

 ✗ No analiza ni responde documentos externos.

 ✗ No responde a consultas de otras materias distintas a la del libro.

Esta herramienta está pensada para enriquecer la experiencia de lectura y consulta del libro. Su uso es exclusivo sobre su contenido.

¿QUIERES IR MÁS ALLÁ? DESCUBRE IBERLEY IA

Si necesitas una **solución avanzada de inteligencia legal**, con cobertura total de materias y documentos, entra en **www.iberley.es** y accede a todas las funcionalidades profesionales:

CUADRO SIMBÓLICO DE FUNCIONALIDADES		
Funcionalidad	**En los libros Colex**	**En Iberley.es**
Preguntar sobre el contenido del libro	✓	✓
Solicitar explicaciones jurídicas	✓	✓
ChatBot integrado al contenido del libro	✓	✓
Consultas sobre otras materias	✗	✓
Análisis de documentos externos	✗	✓
Generación de escritos jurídicos	✗	✓
Traducción jurídica	✗	✓
Informes y resúmenes legales automáticos	✗	✓
Contratos, guías prácticas y emails para clientes	✗	✓
Estrategias judiciales y jurisprudencia instantánea	✗	✓

CÓMO DECLARAR TU HERENCIA

Claves para comprender el fenómeno hereditario
y pasos a seguir desde que se recibe una
herencia hasta que se declara ante Hacienda

CÓMO DECLARAR TU HERENCIA

Claves para comprender el fenómeno hereditario
y pasos a seguir desde que se recibe una
herencia hasta que se declara ante Hacienda

3.ª EDICIÓN 2026

**Obra realizada por el Departamento de
Documentación de Iberley**

COLEX 2026

© Editorial Colex, S.L.
Calle Costa Rica, número 5, 3º B (local comercial)
A Coruña, C.P. 15004
info@colex.es
www.colex.es

I.S.B.N.: 979-13-7011-806-8
Depósito legal: C 909-2026

SUMARIO

ANEXO.
CASOS PRÁCTICOS

0.
INTRODUCCIÓN

¿Cómo debo declarar la herencia?

La herencia comprende los bienes, derechos y obligaciones de una persona que no se extingan por su muerte. **En el momento de la muerte de una persona se abre su sucesión** por la que se produce el paso de su herencia a sus herederos o legatarios. Ahora bien, antes de que los herederos puedan tener el patrimonio del causante a su nombre, deben llevarse a cabo una serie de trámites para saber quiénes son exactamente dichos herederos y qué bienes corresponden a cada uno.

Por tanto, para poder recibir la herencia se deben realizar una serie de trámites, tanto civiles como fiscales, cuya gestión adecuada es básica de cara al futuro. Resulta preciso por tanto comprender una serie de conceptos fundamentales que permitan realizar la tramitación de forma correcta.

En el **ámbito civil**, resulta trascendente conocer que la sucesión puede ser testamentaria —cuando existe testamento— o *ab intestato*. En el proceso sucesorio pueden distinguirse varias fases: apertura de la sucesión, vocación hereditaria, delación de la herencia, aceptación y repudiación de la herencia y la partición de la herencia. Ahora bien, debe tenerse presente que antes de iniciarse el proceso sucesorio es necesario reunir ciertos documentos relativos a la herencia y que resultan imprescindibles para efectuar los distintos trámites, entre ellos, certificado de defunción, certificado de actos de última voluntad, testamento, certificado de seguros de vida...

Dentro del **ámbito fiscal** adquiere relevancia la liquidación del Impuesto sobre Sucesiones y Donaciones (ISD). Se trata de una figura impositiva que recae sobre las adquisiciones de bienes que se realicen a título gratuito, tanto si se producen *mortis causa* o *inter vivos*.

En cuanto a la regulación del ISD debemos señalar que se trata de un tributo cedido a las comunidades autónomas por lo que es preciso prestar atención a la **normativa autonómica**. En esta guía nos centraremos en la regulación a nivel estatal la cual se encuentra recogida en la Ley 29/1987, de 18 de diciembre, del Impuesto sobre Sucesiones y Donaciones (en adelante, LISD); desarrollada a través del Real Decreto 1629/1991, de 8 de noviembre, por el que se aprueba el Reglamento del Impuesto sobre Sucesiones y Donaciones (en adelante, RISD).

En las adquisiciones por causa de muerte el **plazo del que dispone para la presentación de la liquidación es de seis meses**, contado desde el día del fallecimiento. Este plazo podrá ser prorrogado por la Administración por otros seis meses previa solicitud por los herederos, albaceas o administradores del caudal hereditario dentro de los cinco primeros meses del plazo de presentación.

Con **carácter previo a la liquidación del impuesto** es necesario realizar una serie de pasos previos, para que la presentación sea mucho más sencilla y rápida. En primer lugar, debe obtenerse toda la documentación necesaria para la gestión del impuesto: DNI, testamento, escritura de aceptación, certificado de seguros de vida, etc. A continuación, es preciso realizar un inventario y valoración de los bienes, ya que cada heredero o legatario deberá tributar por el valor neto de su adquisición individual.

En el momento del **cálculo de la cuota tributaria** deben tenerse presente una serie de cuestiones como la tributación en caso de renuncia, tratamiento fiscal de la creación de un usufructo, aplicación de reducciones, deducciones y bonificaciones.

La **presentación del impuesto** puede hacerse mediante autoliquidación o liquidación, como hemos visto es un tributo cedido por lo que las comunidades autónomas dispondrán cada una de su propio modelo. En el ámbito estatal los modelos fueron aprobados por medio de la Orden HAP/2488/2014, de 29 de diciembre, por la que se aprueban los modelos 650, 651 y 655 de autoliquidación del Impuesto sobre Sucesiones y Donaciones, y se determina el lugar, forma y plazo para su presentación.

Finalmente debemos hacer referencia a que el interesado podrá solicitar la **liquidación parcial** a los solos efectos de cobrar seguros sobre la vida, créditos del causante, haberes devengados y no percibidos por el mismo, o retirar bienes, valores, efectos o dinero que se hallasen en depósito, o bien en otros supuestos análogos. Estas liquidaciones parciales tendrán el carácter de ingresos a cuenta de la posterior liquidación definitiva que proceda por la sucesión de que se trate. Respecto al pago podrá solicitarse tanto el aplazamiento como el fraccionamiento del mismo.

1.
CONCEPTOS BÁSICOS DE LA HERENCIA

Aproximación a ciertos conceptos básicos relativos al fenómeno sucesorio

Cuando una persona fallece, sus bienes y sus deudas, si las tiene, pasarán a los sucesores que señale su último testamento o, en caso de no existir testamento, a los que determine la ley. Ahora bien, antes de que los herederos puedan tener el patrimonio del causante a su nombre, deben llevarse a cabo una serie de trámites para saber quiénes son exactamente dichos herederos y qué bienes corresponden a cada uno.

Son trámites que se han de realizar en momentos que pueden resultar abrumadores para los familiares y allegados del fallecido, pero cuya gestión adecuada resulta básica de cara al futuro. Además, en muchas ocasiones, estarán plagados de conceptos o instituciones propias del derecho sucesorio y desconocidas para muchos, que no contribuirán más que a incrementar su pesadez o dificultad. De ahí la importancia de, antes de nada, tomar contacto con una serie de términos básicos que surgen en torno a la herencia y cuya trascendencia va más allá del ámbito estrictamente civil, alcanzando también al fiscal, como se verá.

Con todo, antes de adentrarnos en esas cuestiones, conviene hacer una primera precisión inicial, que viene exigida por el hecho de que en nuestro país conviven distintas legislaciones civiles: el derecho civil común (estatal, contenido en el Código Civil) y las legislaciones civiles forales o especiales. Y es que, como consecuencia de la asunción de competencias normativas por parte de las comunidades autónomas, **algunos territorios cuentan con sus propias legislaciones civiles, denominadas especiales o forales, en las que se recogen una serie de particularidades en materia sucesoria** (por ejemplo, algunos tipos especiales de testamentos, proporciones para las legítimas distintas de las estatales, etc.). En concreto, cuentan con estas normas especiales Galicia, el País Vasco, Navarra, Aragón, Cataluña y las Islas Baleares.

La aplicación del derecho civil común recogido en el Código Civil o del previsto en alguna de las legislaciones forales vendrá dada por la **vecindad civil del causante en el momento de su fallecimiento**, que actuará como punto de conexión con uno u otro territorio (del mismo modo que la nacionalidad determina una especial vinculación con un país u otro). En ese sentido, y como regla general, puede decirse que los ciudadanos españoles tienen la vecindad civil en territorio de derecho civil común o en uno de los territorios de derecho especial o foral según la de sus padres (si los dos padres tenían la misma vecindad civil, el hijo también la tendrá). Sin embargo, esa es solo la regla general y los artículos 14 y 15 del Código Civil (en adelante, CC) contemplan una serie de criterios específicos para saber qué vecindad civil corresponde cuando los padres cuentan con distinta vecindad civil, en supuestos dudosos o cuando un extranjero adquiere la nacionalidad española; y también prevén ciertas reglas que pueden alterar la vecindad civil por residencia continuada durante determinado período de tiempo o por opción del propio sujeto.

En esta obra **se analizarán las principales instituciones sucesorias desde el punto de vista del derecho común del Código Civil**, sin perjuicio de que en ciertos aspectos puedan existir particularidades en las legislaciones forales, cuyo análisis exhaustivo resultaría imposible en una guía de estas características y a cuyo respecto remitimos al lector a las legislaciones civiles forales que en cada caso puedan corresponder.

CUESTIONES

1. Una persona, nacida de padre y madre catalanes, se traslada a vivir a Castilla y León con 70 años. Allí reside de manera continuada hasta su fallecimiento a los 85 años de edad. ¿Qué vecindad civil tenía en el momento de su fallecimiento y qué legislación civil resultará de aplicación a su sucesión?

En principio, en el momento de su nacimiento, esta persona tenía vecindad civil catalana, por haber nacido de padres con tal vecindad. Sin embargo, al trasladarse a Castilla y León (un territorio sin legislación civil foral y, por tanto, de derecho común) adquirió la vecindad civil de dicho territorio por su residencia continuada en él durante 10 años, sin haber realizado ninguna declaración en contrario durante ese plazo.

2. La persona de la cuestión anterior, ¿podría haber conservado su vecindad civil catalana de algún modo?

Sí, el artículo 14.5 del CC, al regular la adquisición de la vecindad civil por residencia continuada de 10 años, exige para ello que durante dicho plazo no se hubiese verificado una declaración en contrario. Por lo tanto, efectuando tal declaración, que se hará constar en el registro civil y que no necesita ser reiterada, el interesado podría haber impedido la adquisición de una nueva vecindad civil por residencia.

3. ¿La vecindad civil se altera por el matrimonio?

No, el Código Civil señala expresamente que el matrimonio no modifica la vecindad civil. No obstante, cualquiera de los cónyuges no separados legalmente o de hecho podrá, en todo momento, optar por la vecindad civil del otro.

1.1. El fenómeno sucesorio y sus etapas

Las fases de la sucesión tras el fallecimiento

Con la muerte de una persona se abre su sucesión y se inicia un fenómeno que determinará el paso de sus bienes, derechos y obligaciones a sus herederos o legatarios.

Este fenómeno sucesorio se regula en los artículos 657 y siguientes del CC, y en él pueden distinguirse varias fases o etapas sucesivas:

‖ a. La apertura de la sucesión

La sucesión de una persona se abre en el **momento de su muerte o de su declaración de fallecimiento**, que a este respecto producirá los mismos efectos que el fallecimiento en sentido físico.

La declaración de fallecimiento es una institución regulada en los artículos 193 y siguientes del Código Civil. Consiste en una resolución judicial en virtud de la cual se tiene a una persona por fallecida cuando concurran ciertas circunstancias previstas en la ley, referidas, fundamentalmente, a situaciones de desaparición prolongada sin noticias o de riesgo inminente para la vida. Por ejemplo, procederá la declaración de fallecimiento una vez transcurridos diez años desde las últimas noticias que se tengan de una persona o, a falta de noticias, desde su desaparición (cinco años si la persona ausente hubiese cumplido los 75 años); o bien cuando alguien hubiese estado en riesgo inminente de muerte por causa de violencia contra la vida y no se hubiesen tenido noticias suyas con posterioridad durante un año (o tres meses en caso de siniestro). Una vez firme la declaración de fallecimiento, se abre la sucesión de la persona, pero se prevén ciertas limitaciones para sus sucesores a la hora de disponer de los bienes del declarado fallecido, a fin de preservarlos por si aparece. De hecho, si después de la declaración de fallecimiento se probase que la persona sigue con vida o él mismo reapareciese, recobrará sus bienes en el estado en el que se encuentren y tendrá derecho al precio de los vendidos o a los obtenidos con dicho precio.

> **A TENER EN CUENTA**. La persona que con su fallecimiento da lugar al fenómeno sucesorio se denomina causante o, en latín, *de cuius*.

‖ b. La vocación (llamamiento) a la herencia

Tras la apertura de la herencia, se produce la vocación hereditaria, que consiste en un **llamamiento general y abstracto que se realiza a todos los posibles herederos del fallecido.** Este llamamiento puede producirse por la voluntad de la propia persona (manifestada en el testamento, donde establece quiénes le heredarán y de qué modo), por disposición de la ley (que determina quiénes tendrán que suceder al sujeto si no existe testamento o el testamento no es válido, por ejemplo) o bien en parte por voluntad de la persona y en parte por disposición de la ley.

‖ c. La delación de la herencia

La delación hereditaria consiste en el **ofrecimiento de la herencia a quienes tuviesen derecho a ella, que tendrán la facultad de aceptarla o de rechazarla**, a través de la repudiación. Este derecho a aceptar o repudiar la herencia es lo que, en sentido técnico, se conoce como *ius delationis*.

Durante el período de tiempo que medie desde la apertura de la sucesión hasta la aceptación por parte del llamado a ella (que puede ser expresa o tácita), la herencia carece de titular y permanece en una situación de interinidad en la que se dice que el patrimonio del fallecido «yace», por lo que en esta fase se habla de **«herencia yacente»**.

A simple vista, puede parecer que la delación de la herencia es lo mismo que la vocación, pero no es así y ambas deben diferenciarse porque en ciertos casos la vocación hereditaria no coincide exactamente con la delación. Por ejemplo, es posible que sea llamada a la herencia una persona concebida todavía no nacida, por tener derecho a suceder al fallecido, pero que la delación a su favor no se produzca hasta el momento en el que nazca y se le ofrezca la herencia para que pueda aceptarla o repudiarla (facultad que ejercitarán quienes deban hacerlo en su nombre).

|| d. La adquisición de la herencia

Los **llamados a la herencia que la hayan aceptado pasarán a tener efectivamente la condición de herederos y, una vez verificados los trámites oportunos, se les adjudicarán los bienes y derechos** que integren la herencia del causante. Esta parte del proceso será distinta en función de que exista un solo heredero o una pluralidad de ellos, siendo más compleja en este último caso, en el que antes de la adjudicación de los bienes a cada uno de los herederos será necesario realizar una serie de operaciones de reparto y división (partición hereditaria).

1.2. Herederos y legatarios

¿Quiénes son los herederos y quiénes los legatarios?

La herencia de una persona comprende todos sus bienes, derechos y obligaciones que no se hubiesen extinguido con el fallecimiento, cuya titularidad al final pasará a sus sucesores. Unos sucesores que, por otra parte, podrán ser de dos tipos:

|| a. Herederos

Los herederos son aquellos que **suceden al causante a título universal**, es decir, en todos sus bienes, derechos y obligaciones entendidos de manera global. Como regla general, sustituyen al causante en todas las relaciones jurídicas que le sobrevivan, tanto en lo bueno como en lo malo.

En principio, responden del pasivo hereditario (de las deudas y cargas de la herencia) de manera ilimitada, no solo con los bienes hereditarios, sino también con los suyos propios. Solo podrán limitar esta responsabilidad si aceptan la herencia «a beneficio de inventario», una modalidad de aceptación en virtud de la cual únicamente responderán de las deudas y cargas de la herencia con los propios bienes de la herencia, recibiendo la parte que quede una vez pagadas (si existe).

Los herederos pueden ser voluntarios (designados en el testamento) o forzosos (personas a las que, por su parentesco con el causante, la ley les reconoce el derecho a recibir una parte de la herencia o legítima). Podrán existir en todo tipo de sucesión, tanto si hay testamento como si no.

‖ b. Legatarios

Los legatarios **suceden al causante a título particular**, esto es, en determinados bienes o derechos concretos de la herencia. Ahora bien, no podrán hacerse con la posesión de la cosa que reciban en legado por sí mismos, debiendo pedir su entrega al heredero o albacea, si está autorizado para darla.

La responsabilidad del legatario se limita a las cargas que le haya impuesto el testador, hasta el importe o valor de la cosa legada; pero si toda la herencia se distribuye en legados, las deudas y gravámenes de ella se prorratearán entre los legatarios a proporción de sus cuotas, a menos que el causante hubiese dispuesto otra cosa.

Los legatarios solo pueden ser designados como tal en el testamento, con lo que no existirán legados si no hay testamento.

Por otra parte, conviene señalar que pueden existir ciertos supuestos en los que la distinción entre heredero o legatario puede resultar más difícil e incluso llegar a inducir a error. Por ejemplo, cabe que el testador instituya al heredero en una cosa cierta y determinada, caso en el que será considerado legatario; o que le atribuya a un legatario una cuota ideal de la herencia a través del denominado «legado de parte alícuota», supuesto en el que recibiría la parte que le corresponda del activo líquido de la herencia, una vez descontado el pasivo.

CUESTIONES

1. A la hora de otorgar testamento, una persona quiere instituir a su único hijo como heredero de la mayor parte de los bienes y atribuir en legado una cantidad de dinero a su sobrino. ¿Podría condicionar la adquisición del dinero por parte del sobrino a que estudie una carrera universitaria?

Sí, podría hacerlo. Las disposiciones testamentarias, tanto si se realizan a título de herencia como de legado, pueden hacerse bajo condición (artículo 790 del CC), aunque con ciertos límites.

2. Si quisiera imponerle la condición de no contraer nunca matrimonio, ¿podría hacerlo?

Como se indicaba en la cuestión anterior, es posible someter a condición tanto la institución de heredero como el nombramiento de legatarios, pero con ciertos límites, puesto que la ley establece que algunas condiciones no tendrán virtualidad. Por ejemplo, se considerarán como no puestas las condiciones imposibles y contrarias a las leyes o a las buenas costumbres, que no perjudicarán al heredero o legatario ni siquiera en el caso de que el testador disponga otra cosa; o será nula la disposición de bienes que se realice bajo condición de que el heredero o legatario haga en su testamento alguna disposición en favor del testador o de otra persona.

Por lo que se refiere en concreto a la condición que se plantea en esta cuestión, según el Código Civil se tendrá por no puesta la condición absoluta de no contraer primero o posterior matrimonio, a menos que se le imponga al viudo o viuda por su difunto consorte o por los ascendientes o descendientes de este. No obstante, sí se podrá legar un derecho de usufructo, uso o habitación, o una pensión o prestación personal, por el tiempo que se permanezca soltero o viudo.

1.3. La capacidad y la incapacidad para suceder

¿Quiénes tendrán capacidad para suceder y quiénes no la tendrán?

El Código Civil señala expresamente en su artículo 744 que **podrán suceder por testamento o *ab intestato* (sin él) los que no estén incapacitados por la ley**. Con ello, la norma excluye la posibilidad de que ciertas personas sucedan al causante, por diversos motivos y con distintos alcances.

Por lo demás, para calificar la capacidad o incapacidad para suceder del heredero o legatario se atenderá al tiempo de la muerte de la persona de cuya sucesión se trate.

Veamos, a continuación, esas exclusiones para suceder.

‖ **a. Incapacidades absolutas para suceder**

Son incapaces para suceder, en todo caso:

- Las **criaturas abortivas**.
- Las **asociaciones o corporaciones no permitidas por la ley**.

‖ **b. Incapacidades relativas para suceder**

Existen ciertos sujetos que, aun siendo capaces para suceder con carácter general, no podrán hacerlo con respecto a ciertos causantes en concreto:

- El **sacerdote confesor en la última enfermedad u otros vinculados a él**. No producirán efecto las disposiciones que el causante realice en su testamento durante su última enfermedad en favor del sacerdote que en ella le hubiese confesado, de los parientes del mismo dentro del cuarto grado o de su iglesia, cabildo, comunidad o instituto.

- El **notario y los testigos del testamento**. El testador no podrá disponer del todo o parte de su herencia en favor del notario que autorice su testamento, ni tampoco del cónyuge, parientes o afines del notario dentro del cuarto grado, salvo que se trate del legado de un objeto mueble o de una cantidad de poca importancia en relación con el caudal hereditario. Esta prohibición también será aplicable a los testigos del testamento abierto, otorgado con o sin notario, así como a los testigos y personas ante quienes se otorguen los testamentos especiales.

- El **tutor o curador, así como el cuidador en ciertos términos**. Tampoco surtirá efecto la disposición testamentaria hecha en favor de quien sea tutor o curador representativo del causante, salvo cuando se haya hecho después de la extinción de la tutela o curatela. Igualmente, será nula la realizada por las personas que se encuentran internadas por razones de salud o de asistencia en favor de sus cuidadores, que sean titulares, administradores o empleados del establecimiento público o privado en el que estuvieran internadas; y la efectuada en favor del propio establecimiento de que se trate. Las demás personas físicas que presten servicios de cuidado, asistenciales o análogos al causante solo podrán ser favorecidas en su sucesión si se ordena en testamento notarial abierto. Con todo, serán válidas las disposiciones hechas a favor del tutor, curador o cuidador que sea pariente del causante con derecho a sucederle *ab intestato*.

A TENER EN CUENTA. La figura de la tutela ha desaparecido para las personas mayores de edad con discapacidad tras la Ley 8/2021, de 2 de junio, sustituyéndose por la curatela, de naturaleza asistencial, que solo tendrá funciones representativas en casos excepcionales. Así, desde entonces la tutela queda reservada para los menores de edad que no estén sometidos a patria potestad. Además, para los tutores ya nombrados bajo la normativa previa, se establece un régimen transitorio para su adaptación a las figuras actualmente vigentes.

‖ c. La exclusión de la herencia por «indignidad»

La indignidad sucesoria supone que **ciertas personas que cometan actos de especial gravedad contra un cierto causante pierdan el derecho a recibir aquello que podría corresponderles en su herencia**.

Se regula en los artículos 756 y 757 del CC, que enumeran los supuestos en los que se considera que concurre dicha indignidad para suceder. Alcanzaría a las siguientes personas:

- El que fuera condenado por sentencia firme por haber atentado contra la vida, o a pena grave por haber causado lesiones o por haber ejercido habitualmente violencia física o psíquica en el ámbito familiar al causante, su cónyuge, persona a la que esté unido por análoga relación de afectividad o alguno de sus descendientes o ascendientes.

- El que fuera condenado por sentencia firme por delitos contra la libertad, la integridad moral y la libertad e indemnidad sexual, si el ofendido es el causante, su cónyuge, la persona a la que esté unido por análoga relación de afectividad o alguno de sus descendientes o ascendientes. Asimismo, el condenado por sentencia firme a pena grave por haber cometido un delito contra los derechos y deberes familiares respecto de la herencia de la persona agraviada. También el privado por resolución firme de la patria potestad, o removido del ejercicio de la tutela o acogimiento familiar de un menor o del ejercicio de la curatela de una persona con discapacidad por causa que le sea imputable, respecto de la herencia del mismo.

- El que hubiese acusado al causante de delito para el que la ley señala pena grave, si es condenado por denuncia falsa.

- El heredero mayor de edad que, sabedor de la muerte violenta del testador, no la hubiese denunciado dentro de un mes a la justicia cuando esta no hubiera procedido ya de oficio. Sin embargo, esta prohibición cesará en los casos en que legalmente no exista obligación de acusar.

- El que, con amenaza, fraude o violencia, hubiese obligado al testador a hacer testamento o a cambiarlo.

- El que por iguales medios hubiera impedido a otro hacer testamento, o revocar el que tuviese hecho, o hubiese suplantado, ocultado o alterado otro posterior.

- Tratándose de la sucesión de una persona con discapacidad, las personas con derecho a la herencia que no le hubiesen prestado las atenciones debidas.

Ahora bien, estas causas de indignidad dejarán de surtir efecto si el testador las conocía al tiempo de hacer el testamento o, si habiéndolas conocido con posterioridad, las remitiese en documento público, como si de un perdón se tratase.

Especial referencia a la necesidad de que el sucesor sobreviva al causante

El heredero o legatario, además de no estar afectado por ninguna de las causas anteriores que determinan la incapacidad para suceder, tendrá que **sobrevivir al causante para poder sucederle**, lo que supone la simultaneidad de la existencia entre ambos (aunque sea mínima) y la necesidad de que el llamado a suceder exista al fallecer el causante. Se trata de un requisito que puede plantear cierta controversia en relación con algunos supuestos:

- El del concebido todavía no nacido (*nasciturus*) que, aunque todavía no ha adquirido personalidad de conformidad con el Código Civil, se tiene por nacido para todos los efectos que le sean favorables (como sería el llamamiento a una herencia), siempre que después nazca con vida.

- El del todavía no concebido (*concepturus*), con respecto al cual no existe esa misma previsión legal; pero que, sin embargo, sí puede tenerse en cuenta cuando el testador establece una sustitución fideicomisaria (una disposición, en virtud de la cual encarga a un heredero que conserve y transmita el todo o parte de la herencia a un tercero, que será válida incluso si se hace a favor de personas que todavía no están concebidas, siempre que no pasen del segundo grado).

- El de fecundación *post morten*, puesto que la Ley 14/2006, de 26 de mayo, sobre técnicas de reproducción humana asistida, permite en su artículo 9 que el marido pueda prestar su consentimiento para que su material reproductor pueda ser utilizado en los 12 meses siguientes a su fallecimiento para fecundar a su mujer, generación que producirá los mismos efectos legales que si se hubiese producido dentro del matrimonio. Una posibilidad de la que también podrá hacer uso el varón no unido por vínculo matrimonial, cuyo consentimiento servirá para iniciar el correspondiente expediente para hacer constar la filiación, sin perjuicio que pueda reclamarse judicialmente la paternidad.

- El de disposición a favor de entes jurídicos que todavía no hubiesen alcanzado personalidad jurídica al tiempo de fallecer el causante. Por ejemplo, si se trata de una sociedad legalmente constituida, pero pendiente de inscripción en el registro mercantil.

CUESTIONES

1. Mateo va a hacer testamento a la notaría de un amigo, compañero de facultad, dispuesto a dejar dos tercios de sus bienes a sus hijos y el otro tercio a su amigo el notario. ¿El notario puede heredar esos bienes?

El notario que autorice el testamento de Mateo, aunque sea su amigo, es incapaz para sucederle. En su caso, únicamente podría legarle un bien mueble o una cantidad de dinero de poca importancia en relación con el resto de los bienes hereditarios, circunstancia que no se cumpliría en este supuesto.

2. Dado que, en el momento de otorgar el testamento, el notario advirtió a Mateo de que no podía disponer de un tercio de su herencia a su favor, el testador decidió dejárselo a un tercer sujeto, que también es notario y compañero de facultad. ¿Puede heredar ese otro notario?

La incapacidad de un notario para suceder únicamente se produce en aquellos casos en los que haya sido él quien autorice el testamento en cuestión. Por lo tanto, siempre que no exista una relación de parentesco entre el notario que autoriza el testamento y el que es instituido heredero u otra causa que haga a este último incapaz para suceder a Mateo, parece que en principio sí podría heredar.

1.4. La sucesión con testamento

La sucesión hereditaria existiendo testamento

La sucesión de una persona puede producirse según lo dispuesto por el causante en el testamento (sucesión testada), en su defecto según lo previsto por la ley (sucesión intestada o *ab intestato*) o bien en parte según el testamento y en parte según la ley (artículo 658 del CC). En este epígrafe nos ocuparemos del primero de los tipos de sucesión que acabamos de mencionar: el de la sucesión **ordenada o deferida conforme a la voluntad del fallecido, manifestada en el testamento**, también denominada **sucesión testada o testamentaria**.

La piedra angular de la sucesión testamentaria es, por tanto, el **testamento**, entendido como el acto por el cual una persona dispone para después de su muerte del todo o parte de sus bienes y que presenta las siguientes notas:

- Es de **naturaleza *mortis causa***, dado que producirá sus efectos por muerte de quien lo otorgó.

- Es **unipersonal,** en el sentido de que se otorgará por una única persona. A nivel estatal, el Código Civil prohíbe a dos o más personas testar mancomunadamente o en un mismo instrumento; esto es, se impide que, de mutuo acuerdo, varias personas puedan otorgar testamento en un mismo documento, tanto si lo hacen en provecho recíproco como en beneficio de un tercero. Sin embargo, esta prohibición no alcanza a algunos de los territorios que dentro del Estado cuentan con su propia regulación en materia de derecho civil. En concreto, se permiten los testamentos mancomunados en Galicia, País Vasco, Navarra y Aragón.

- Es **unilateral** y **no recepticio.** La validez de la declaración de voluntad que se contiene en el testamento no requiere, para su eficacia, que sea recibida por otro. Además, el testamento no está orientado a suscitar confianza en un posible destinatario.

- Es **personalísimo.** El testamento debe realizarse por la propia persona interesada, sin que pueda dejarse su formación, ni en todo ni en parte, al arbitrio de un tercero, ni tampoco hacerse por medio de comisario o mandatario. Aunque, ello, con la excepción de ciertos supuestos previstos en las regulaciones específicas de determinados territorios que cuentan con derecho civil especial (en algunos de los cuales, por ejemplo, se permitiría testar por comisario —sería una especie de persona que se designa para realizar un encargo—). Además, a nivel estatal se permite que se encomiende a un tercero la distribución de las cantidades que se dejen en general a ciertas clases determinadas (como los parientes o los pobres) o la elección de las personas o establecimientos a quiénes deban aplicarse, sin que con ello se vulnere el carácter personalísimo del testamento.

- Es **solemne,** en la medida en que la voluntad de quien testa se recogerá en el testamento con cumplimiento de todas las formalidades que, para cada tipo concreto de testamento, se exijan en el Código Civil.

- Es **revocable**, lo que significa que sus disposiciones pueden ser revocadas con posterioridad, incluso aunque el testador exprese en el documento su voluntad o resolución de no revocarlas. Es decir, el testador puede revocar sus disposiciones y también otorgar nuevos testamentos que dejen sin efecto al anterior todas las veces que quiera antes de su fallecimiento.

El Código Civil regula los distintos tipos de testamentos que pueden otorgarse en sus artículos 676 y siguientes, determinando los requisitos y formalidades que en cada caso se han de observar para su validez y eficacia. A grandes rasgos, se distinguirían los siguientes:

‖ a. Testamentos comunes

- **Testamento ológrafo.** Es aquel realizado de **puño y letra por el mismo testador**. Solo podrá otorgarse por personas mayores de edad y, entre otras solemnidades que especifica el artículo 688 del CC, tendrá que estar escrito todo él y firmado por el testador, con expresión del año y día en que se otorgue, salvándose bajo su firma las palabras tachadas, enmendadas o entre renglones que pudiese contener. Tras la muerte del testador, tendrá que protocolizarse, presentándose a tal efecto ante notario en los cinco años siguientes al fallecimiento. De hecho, y en ese sentido, legalmente se obliga a la persona que lo tenga en su poder a presentarlo ante el notario competente en los diez días siguientes a aquel en que tenga conocimiento de la muerte del testador, debiendo indemnizar los daños y perjuicios causados en caso de que incumpla ese deber. También podrá presentarlo cualquiera que tenga interés en el testamento como heredero, legatario o en otro concepto. El notario solo lo protocolizará cuando considere acreditada la autenticidad del testamento y la identidad de su autor, archivándose el expediente en caso contrario; si bien los interesados que no estén conformes con ello podrán ejercitar sus derechos por vía judicial.

- **Testamento abierto**. Se trata del testamento en el que **el testador manifiesta su última voluntad en presencia de las personas que deban autorizar el acto, que quedarán enteradas de lo que en él se disponga**. Puede revestir dos modalidades, que tendrán que ajustarse a las formalidades que se establecen en los artículos 694 a 704 del CC:

  » Otorgarse **ante notario**, en presencia de este, de los testigos en su caso y, en algunas ocasiones, de otras personas según las circunstancias personales del testador. En él, el testador expresará, oralmente, por escrito o mediante cualquier medio técnico, material o humano su última voluntad al notario. El notario redactará el testamento conforme a ella y con expresión del lugar, año, mes, día y hora de su otorgamiento; luego, una vez advertido el testador de que tiene derecho a leerlo por sí, lo leerá el notario en voz alta para que el interesado manifieste si está conforme con su voluntad. En caso de que sea así, el testador que pueda hacerlo lo firmará en el acto y, en su caso, también los testigos y demás personas que deban concurrir. Si el testador declarase que no sabe o no puede firmar, lo hará por él y a su ruego uno de los testigos; y si tuviese dificultad o imposibilidad para leer el testamento u oír la lectura de su contenido, el notario se asegurará de que ha entendido la información y explicaciones necesarias y de que conoce que el testamento recoge su voluntad de manera fiel.

  » Otorgarse **sin intervención de notario**, en ciertos supuestos en los que, por las especiales dificultades que acarree la presencia del notario, se otorgará ante testigos (por ejemplo, en casos de peligro inminente de muerte y de epidemia).

- **Testamento cerrado**. Es aquel que **se otorga por escrito y luego es autorizado por el notario**. El testador podrá escribirlo de su puño y letra, poniendo su firma al final, o podrá escribirse por cualquier medio mecánico o por otra persona a ruego del testador (caso en que el propio testador tendrá que firmarlo en todas sus hojas y al pie). En él también deberán salvarse, antes de la firma, las palabras enmendadas, tachadas o escritas entre renglones. Su otorgamiento exige de especiales solemnidades reguladas con carácter general en el artículo 707 del CC. A modo de resumen, puede decirse que su otorgamiento será de la siguiente manera: el testador acudirá al notario con el testamento dentro de una cubierta, cerrada y sellada de forma que no pueda extraerse de ella sin romperla, o la cerrará y sellará en el acto en presencia del notario; manifestará al notario que dentro de ella se contiene su testamento y el notario extenderá sobre la cubierta el acta de su otorgamiento, que, una vez leída, se firmará por el testador y se autorizará por el notario, todo ello en presencia de dos testigos si así se solicita. Tras el otorgamiento, el notario entregará el testamento cerrado al testador, que podrá conservarlo en su poder, encomendar su guarda a un tercero o dejarlo en depósito en poder del notario autorizante, para que lo guarde en su archivo. En su caso, la persona que lo tenga en su poder tendrá obligación de presentarlo ante notario competente en los diez días siguientes a aquel en el que tenga conocimiento del fallecimiento del testador, incurriendo en responsabilidad si no lo hace y perdiendo todo derecho a la herencia, si lo tuviera, en caso de que deje de presentarlo con mala fe.

‖ b. Testamentos especiales

- **Testamento militar.** Será el otorgado en tiempo de guerra por ciertas personas (por ejemplo, militares en campaña, voluntarios o prisioneros) ante determinadas autoridades militares, con testigos, o bien directamente ante dos testigos cuando se otorgue durante una batalla, asalto u otra situación de peligro próximo de acción de guerra. Exigen especiales requisitos para su validez. Además, los otorgados en campaña caducarán cuatro meses después de que el testador haya dejado de estar en campaña y los otorgados en peligro de acción de guerra si el testador se salva del peligro en cuya consideración testó.

- **Testamento marítimo.** Se denomina de este modo el testamento otorgado durante un viaje marítimo por aquellos que vayan a bordo o el otorgado en caso de peligro de naufragio. Se contemplan especialidades para cada uno de los supuestos y en función del tipo de testamento que se otorgue. Los testamentos marítimos abiertos y cerrados caducarán pasados cuatro meses desde que el testador desembarque en un punto en el que pueda testar de manera ordinaria.

- **Testamento hecho en país extranjero.** Los españoles podrán testar fuera del territorio nacional sujetándose a las formas que se establezcan por las leyes del país en el que se encuentren o en alta mar a bordo de un buque extranjero según las previstas por la ley del Estado al que el buque pertenezca. También podrán hacer testamento ológrafo conforme al Código Civil, incluso en los países que no admitan esa forma de testar. Igualmente, podrán otorgar testamento, abierto o cerrado, ante el funcionario diplomático o consular de España que ejerza funciones notariales en el lugar del otorgamiento.

En los casos en que exista, el testamento será la norma fundamental que regule el proceso hereditario. Eso sí, como cualquier otro acto jurídico, el testamento puede resultar **nulo** cuando no se respeten todos los requisitos y formalidades exigidas para su validez (por ejemplo, si se otorga por un testador que no tiene capacidad para testar —menor de 14 años—, con dolo, fraude o violencia o con infracción de prohibiciones legales). También podrá **caducar** en supuestos muy específicos previstos en la ley, en los que se le priva de eficacia una vez transcurrido un cierto período de tiempo desde su otorgamiento (por ejemplo, el testamento militar, que se podrá otorgar de palabra y con dos testigos ante un peligro próximo de acción de guerra, quedará ineficaz si el testador se salva del peligro en cuya consideración testó).

Además, tampoco puede olvidarse que **el causante no tiene libertad absoluta para disponer de sus bienes por testamento**. Existen una serie de normas legales que fijan límites a su facultad de disposición: el respeto de las legítimas que la ley reconoce a ciertos parientes y el de las reservas (supuestos en los que la ley establece el destino que han de seguir ciertos bienes).

> **CUESTIÓN**
>
> **¿Quiénes no pueden otorgar testamento?**
>
> Según dispone el artículo 663 del CC, no podrán testar los menores de 14 años ni las personas que, en el momento de otorgar testamento, no puedan conformar o expresar su voluntad ni aun con ayuda de medios o apoyos para ello. Ahora bien, para otorgar un testamento ológrafo será necesaria la mayoría de edad.

1.4.1. Los herederos forzosos: la legítima y la mejora

El testador no puede disponer libremente de todos los bienes y derechos que integran su herencia, puesto que una parte de ellos se encuentra reservada por la ley de manera preceptiva a favor de determinadas personas, próximas al causante, que son los herederos forzosos o legitimarios. Esta **porción de bienes que la ley reconoce a favor de los herederos forzosos es la denominada legítima.**

La legítima es una **institución especialmente protegida por el Código Civil**, tanto en su cantidad como en su calidad, de manera que el testador solo podrá privar a los herederos forzosos de ella en los supuestos expresamente permitidos por la ley (por ejemplo, en caso de desheredación); y, además, por regla general y salvo excepciones contadas, como el usufructo del viudo, el testador tampoco podrá imponer sobre ella gravamen, condición ni sustitución de ninguna clase. No en vano, el heredero a quien el testador deje menos de lo que le corresponda por legítima, podrá pedir su complemento.

Toda renuncia o transacción sobre la legítima futura entre el que la debe y sus herederos forzosos es nula, y estos podrán reclamarla cuando aquel muera, aunque tendrán que traer a colación lo que hubiesen recibido por la renuncia o transacción.

Conforme al artículo 807 del CC, **son herederos forzosos o legitimarios**:

- Los **hijos y descendientes** respecto de sus padres y ascendientes.
- **A falta de los anteriores**, los **padres y ascendientes** respecto de sus hijos y descendientes.
- El **viudo o la viuda,** en la forma y medida que establece el Código Civil (se le atribuyen ciertos derechos de usufructo sobre parte de los bienes de la herencia).

Las legítimas que a cada uno corresponden se regulan en los artículos 808 y siguientes del CC.

|| a. Legítima de los hijos y descendientes

Su legítima está constituida por las **dos terceras partes** del haber hereditario de sus padres, que conforman lo que se suele denominar «legítima larga». Sin embargo, **dentro de esa legítima larga** se distinguen **dos partes: un primer tercio, de legítima estricta, que se dividirá por partes iguales entre todos los que tengan derecho a ella** (que serán los hijos, y a falta de estos, sus descendientes por estirpes —por ejemplo, si un hijo hubiera muerto, la parte de dicho hijo le correspondería a su estirpe—); **y otro tercio, del que los progenitores podrán disponer para aplicarlo como mejora a sus hijos o descendientes.**

Por lo tanto, existirán **tres tercios en la herencia: uno de legítima corta o estricta, otro tercio de legítima que se podrá aplicar como mejora** en favor de alguno de los hijos o descendientes y **un tercer tercio de libre disposición, que no es legítima, del que el testador podrá disponer libremente** y en favor de quien quiera.

Por otra parte, cuando alguno o varios de los herederos forzosos se encontrasen en situación de discapacidad, el testador podrá disponer a su favor de la legítima estricta de los demás legitimarios sin discapacidad. Salvo disposición en contrario del testador, lo así recibido por el hijo beneficiado tendrá una carga o gravamen: no podrá disponer a título gratuito (sin contraprestación) ni por causa de muerte de la parte que correspondía a la legítima estricta de los otros herederos forzosos, quienes además tendrán derecho a recibir el remanente que pueda quedar de ella. Si el testador hubiese hecho uso de esta facultad, corresponderá al hijo que impugne ese gravamen de su legítima estricta demostrar que no concurre causa que la justifique.

Como apuntamos, el padre o la madre podrán disponer en concepto de **mejora a favor de alguno o algunos de sus hijos o descendientes**, ya lo sean por naturaleza o por adopción, de una de las dos terceras partes destinadas a la legítima. Así, el testador (padre o madre) podrá asignar todos los bienes destinados al tercio de mejora a uno o varios hijos o descendientes, asignar solo una parte de los bienes integrantes del tercio de mejora a favor de uno o varios de ellos o, por el contrario, no disponer del tercio de mejora; de modo que en estos dos últimos casos los bienes que no constituyan mejora pasarán a formar parte de la legítima estricta.

Por lo demás, para que la mejora se considere como tal, tendrá que declararlo así el testador de manera expresa, aunque no es necesario que utilice la palabra «mejora», pues la mejora también puede ser tácita en aquellos casos en que se desprenda inequívocamente la voluntad de mejorar del testador.

|| b. Legítima de los padres y ascendientes

La legítima de los padres y ascendientes estará formada, **con carácter general, por la mitad del haber hereditario de los hijos y descendientes**. Sin embargo, **si concurren a la sucesión con el cónyuge viudo del descendiente causante, su legítima será de una tercera parte** de la herencia.

La legítima reservada a los padres se dividirá entre los dos por partes iguales y, cuando uno de ellos hubiese fallecido, recaerá toda en el que sobreviva. Si el causante no deja padre ni madre, pero sí ascendientes, en igual grado, de las líneas paterna y materna, se dividirá la herencia por mitad entre ambas líneas; si los ascendientes fuesen de grado diferente, corresponderá por entero a los más próximos de una u otra línea.

|| c. Derechos legitimarios del cónyuge viudo

El cónyuge que, al morir su consorte, no estuviese separado legalmente o de hecho **tendrá derecho al usufructo del tercio destinado a mejora si concurre a la sucesión con hijos o descendientes**. **De no existir descendientes, pero sí ascendientes, tendrá derecho al usufructo de la mitad** de la herencia. Y **si no existen ni unos ni otros, el viudo o viuda tendrá derecho al usufructo de los dos tercios** de la herencia.

El viudo conservará esos derechos si, en caso de separación, hubiese mediado reconciliación notificada al juzgado o al notario ante el que se hubiese tramitado la separación.

Los herederos podrán satisfacer al cónyuge su parte de usufructo asignándole una renta vitalicia, los productos de determinados bienes o un capital en efectivo, de mutuo acuerdo o por mandato judicial. Además, cuando el cónyuge concurra a la herencia con hijos que lo sean solo del causante, podrá exigir que su derecho de usufructo se le satisfaga, a elección de los hijos, asignándole un capital en dinero o un lote de bienes hereditarios.

CUESTIÓN

¿Qué implica que una persona adquiera el usufructo sobre ciertos bienes?

El usufructo es un derecho que faculta para usar y disfrutar bienes cuya propiedad pertenece a otro, con la obligación de conservar su forma y su sustancia, salvo que se esté autorizado para lo contrario.

Así, cuando como consecuencia del fallecimiento de un causante se atribuya a una persona el usufructo sobre determinados bienes y a otra la «nuda propiedad» (que sería el término técnico con el que se denomina la propiedad limitada que tiene aquel que debe soportar que otro tenga el usufructo sobre sus bienes), se produciría una desmembración del dominio pleno del bien: por una parte, existiría un derecho de usufructo para el usufructuario y, por otra, la nuda propiedad del propietario o titular del bien. La suma del valor de uno y otro (usufructo y nuda propiedad) sería igual al valor de la propiedad íntegra.

Con posterioridad, cuando el usufructo se extinga, esa parte del valor del bien correspondiente al usufructuario revertirá en el nudo propietario, que adquirirá el dominio pleno sobre la cosa a través de la denominada «consolidación del dominio». Normalmente, el usufructo será vitalicio, es decir, concedido al usufructuario de por vida, hasta el momento en que muera, y será entonces cuando se extinga el derecho de usufructo y se consolide el dominio del nudo propietario. Sin embargo, también cabe que el usufructo se atribuya a ciertas personas por un determinado período de tiempo o hasta que se cumplan ciertas condiciones, momento en el que se extinguiría y se produciría la consolidación del dominio, cosa que también sucedería cuando se produzcan ciertos negocios en virtud de los cuales se transmita el derecho de usufructo al nudo propietario (por ejemplo, si se le transmite por medio de una donación).

DERECHOS DE LOS DISTINTOS HEREDEROS FORZOSOS

HIJOS Y DESCENDIENTES
- 1/3 herencia: legítima corta o estricta
- 1/3 herencia: mejora
- 1/3 herencia: libre disposición

Legítima larga

PADRES Y ASCENDIENTES
- Con carácter general → 1/2 del haber hereditario de los hijos y descendientes
- Concurren con el cónyuge viudo del causante → 1/3 de la herencia

CÓNYUGE VIUDO
- Concurre con hijos o descendientes → Usufructo del tercio de mejora
- No hay descendientes, pero sí ascendientes → Usufructo de 1/2 de la herencia
- No hay descendientes ni ascendientes → Usufructo de 2/3 de la herencia

¿Cómo se calculan las legítimas?

Para el cálculo de las legítimas deben llevarse a cabo una serie de operaciones, a través de un proceso integrado por tres fases: la computación, la imputación y la reducción.

‖ a. Fase de computación

Esta primera fase, a su vez, está formada por tres operaciones distintas:

- **Determinación del caudal hereditario líquido.** Para fijar la legítima se atenderá al valor de los bienes que quedaren a la muerte del testador, con deducción de las deudas y cargas, sin comprender entre ellas las impuestas en el testamento.

- **Computación propiamente dicha.** Esta operación consiste en agregar al valor líquido de los bienes hereditarios el de las donaciones colacionables que el causante hubiese efectuado en vida. No en vano, conforme al artículo 1035 del CC, el heredero forzoso que concurra a una sucesión con otros que también lo sean, deberá traer a la masa hereditaria los bienes o valores que hubiese recibido del causante de la herencia, en vida de este, por dote, donación u otro título lucrativo, para computarlo en la regulación de las legítimas y en la cuenta de partición. Ahora bien, esta operación es meramente contable y no supone la aportación de los mismos bienes donados, sino tan solo la de su valor a los efectos de determinar la cuantía sobre la que se van a calcular las legítimas y las mejoras.

- **Cálculo de la legítima global e individual.** El valor resultante de las operaciones anteriores se dividirá en tres tercios y así se calculará el valor de la legítima global correspondiente a los herederos forzosos. Luego, a partir de esa legítima global, se calculará la legítima individual de cada heredero forzoso, dividiendo la legítima global entre el número de los que haya.

‖ b. Fase de imputación

Una vez calculado el valor de la legítima que corresponde a cada heredero forzoso, se colocarán o imputarán las distintas atribuciones de bienes realizadas por el causante en los distintos tercios de la legítima, para ver si se cumplen las proporciones necesarias. Para llevar a cabo esta operación será necesario respetar las normas que establece el Código Civil en su artículo 819, de modo que las donaciones hechas a los hijos sin el concepto de mejoras se imputarán en su legítima y las hechas a extraños se imputarán en la parte de libre disposición.

‖ c. Fase de reducción

En esta última fase se procederá a la reducción de aquellas disposiciones que fuesen inoficiosas, esto es, de aquellas atribuciones de bienes que lesionen la legítima de los herederos forzosos, o bien de aquellas que excedan de la cuota disponible.

Con carácter general, se reducirán siguiendo el orden que especifica el artículo 820 del CC:

- Se respetarán las donaciones mientras pueda cubrirse la legítima, reduciendo o anulando, en caso de ser necesario, las mandas hechas en testamento.

- La reducción de dichas mandas se hará a prorrata, sin distinción alguna. Aunque, si el testador hubiera dispuesto que se pague cierto legado con preferencia a otros, aquel no sufrirá reducción sino después de haberse aplicado estos por entero al pago de la legítima.

- Si la manda consiste en un usufructo o renta vitalicia, cuyo valor se tenga por superior a la parte disponible, los herederos forzosos podrán escoger entre cumplir la disposición testamentaria o entregar al legatario la parte de la herencia de que podía disponer libremente el testador.

El artículo 821 del CC establece reglas especiales para los casos en que el legado sujeto a reducción consista en una finca que no admita cómoda división.

A TENER EN CUENTA. La donación o legado de un derecho de habitación sobre la vivienda habitual que su titular haga a favor de un legitimario que esté en situación de discapacidad, no se computará para el cálculo de las legítimas si en el momento del fallecimiento ambos estuvieran conviviendo en ella. Este derecho de habitación se atribuirá por ministerio de la ley, en las mismas condiciones, al legitimario que se halle en esa situación, que lo necesite y que estuviese conviviendo con el fallecido, a menos que el testador hubiera dispuesto otra cosa o lo hubiera excluido expresamente, pero su titular no podrá impedir que continúen conviviendo los demás legitimarios mientras lo necesiten.

Las legítimas en las legislaciones forales

Hasta este punto, se ha desarrollado el régimen sucesorio previsto en el derecho civil común español. Sin embargo, como consecuencia de la asunción de competencias normativas por parte de las comunidades autónomas, **algunos territorios cuentan con sus propias normas de derecho civil, denominadas especiales o forales, y regulan especialidades** en este ámbito. Son los casos de Galicia, el País Vasco, Navarra, Aragón, Cataluña y las Islas Baleares.

La aplicación del derecho civil estatal contenido en el Código Civil o del recogido en alguna de las legislaciones forales a una determinada sucesión vendrá dada por la **vecindad civil del causante en el momento de su fallecimiento**, que actúa como punto de conexión con uno u otro territorio (del mismo modo que la nacionalidad determina una especial vinculación con uno u otro país). Así, por regla general, los ciudadanos españoles tienen la vecindad civil en territorio de derecho común o en uno de los de derecho especial o foral coincidente con la de sus padres (si los dos tenían la misma). Sin embargo, existen reglas específicas para los casos en que los padres tengan distinta vecindad civil y también la posibilidad de adquirir la vecindad civil por la residencia durante un cierto tiempo o por opción. Los artículos 14 y 15 del CC contemplan los distintos criterios de atribución de la vecindad civil, también para el caso de extranjeros que adquieran la nacionalidad española.

En la siguiente tabla se recogen, de manera muy resumida, las claves básicas de la configuración de las legítimas en las distintas legislaciones forales:

TERRITORIO	LEGISLACIÓN	LEGITIMARIOS	CUOTA DE LEGÍTIMA DE DESCENDIENTES O ASCENDIENTES (según los casos)	CUOTA DE USUFRUCTO COMO LEGÍTIMA DEL VIUDO/A
Galicia	Ley 2/2006, de 14 de junio, de Derecho Civil de Galicia (Artículos 238 a 257)	• Hijos y descendientes de hijos premuertos, justamente desheredados o indignos. • Cónyuge viudo no separado legalmente o de hecho.	Hijos y descendientes: cuarta parte del valor del haber hereditario líquido.	• Usufructo vitalicio de la cuarta parte del valor del haber hereditario líquido si concurre con descendientes del causante • Mitad si no concurre con hijos.
País Vasco	Ley 5/2015, de 25 de junio, de Derecho Civil Vasco (Artículos 47 a 60)	• Hijos o descendientes en cualquier grado. • Cónyuge viudo o superviviente de la pareja de hecho El causante debe transmitir la legítima a sus legitimarios, pero puede elegir entre ellos a uno o varios y apartar a los demás.	Hijos y descendientes: tercio del caudal hereditario.	• Usufructo de la mitad de todos los bienes del causante si concurre con descendientes. • En defecto de descendientes, usufructo de dos tercios de los bienes.

TERRITORIO	LEGISLACIÓN	LEGITIMARIOS	CUOTA DE LEGÍTIMA DE DESCENDIENTES O ASCENDIENTES (según los casos)	CUOTA DE USUFRUCTO COMO LEGÍTIMA DEL VIUDO/A
Comunidad Foral de Navarra	Ley 1/1973 de 1 de marzo, por la que se aprueba la Compilación de Derecho Civil Foral de Navarra (Leyes 267 a 271)	Los hijos y, en defecto de cualquiera de ellos, sus respectivos descendientes de grado más próximo	*«La legítima navarra, tradicionalmente consistente en la atribución de "cinco sueldos 'febles' o 'carlines' por bienes muebles y una robada de tierra en los montes comunes por inmuebles", no tiene contenido patrimonial exigible ni atribuye la cualidad de heredero, y el instituido en ella no responderá en ningún caso de las deudas hereditarias ni podrá ejercitar las acciones propias del heredero».* La atribución de la «legítima navarra» con esta sola denominación u otra semejante a los legitimarios designados de forma individual o colectiva en el acto de disposición cumple las exigencias de su institución formal. Tiene un carácter meramente formal y sin contenido patrimonial.	No hay.

TERRITORIO	LEGISLACIÓN	LEGITIMARIOS	CUOTA DE LEGÍTIMA DE DESCENDIENTES O ASCENDIENTES (según los casos)	CUOTA DE USUFRUCTO COMO LEGÍTIMA DEL VIUDO/A
Aragón	Decreto Legislativo 1/2011, de 22 de marzo, del Gobierno de Aragón, por el que se aprueba, con el título de «Código de Derecho Foral de Aragón», el Texto Refundido de las Leyes civiles aragonesas (Artículos 486 a 502)	Descendientes de cualquier grado.	La mitad del caudal hereditario (puede distribuirse igual o desigualmente, entre todos o varios de los descendientes).	No hay.
Cataluña	Ley 10/2008, de 10 de julio, del libro cuarto del Código Civil de Cataluña, relativo a las sucesiones (Artículo 451-1 a 451-15)	• Todos los hijos del causante por partes iguales; los hijos premuertos, desheredados justamente, declarados indignos y ausentes serán representados por sus descendientes por estirpes. • Si no hay descendientes que le hayan sobrevivido, serán legitimarios los progenitores por mitad.	La cuarta parte de la cantidad base del haber hereditario.	Si bien no se trata propiamente de un usufructo, el CCCat regula la cuarta viudal, en sus artículos 452-1 y siguientes.

TERRITORIO	LEGISLACIÓN	LEGITIMARIOS	CUOTA DE LEGÍTIMA DE DESCENDIENTES O ASCENDIENTES (según los casos)	CUOTA DE USUFRUCTO COMO LEGÍTIMA DEL VIUDO/A
Islas Baleares: Mallorca y Menorca	Decreto Legislativo 79/1990, de 6 de septiembre, por el que se aprueba el texto refundido de la Compilación del Derecho Civil de las Islas Baleares (Artículos 41 y siguientes; artículo 65)	• Hijos y descendientes. • Los padres. • El cónyuge viudo.	• Hijos y descendientes: la tercera parte del haber hereditario, si fueran cuatro o menos, y la mitad en otro caso. • Padres: la cuarta parte del haber hereditario. Concurriendo ambos, se dividirá entre ellos por mitad y si alguno hubiera premuerto corresponderá íntegra al sobreviviente.	En concurrencia con descendientes, el usufructo de la mitad del haber hereditario. En concurrencia con padres, el usufructo de dos tercios y, en los demás supuestos, el usufructo universal.
Islas Baleares: Ibiza y Formentera	Decreto Legislativo 79/1990, de 6 de septiembre, por el que se aprueba el texto refundido de la Compilación del Derecho Civil de las Islas Baleares (Artículo 79) La legítima de los padres se regirá por lo dispuesto en el Código Civil (Artículo 809)	• Los hijos y descendientes. • Los padres.	• Hijos y descendientes: la tercera parte del haber hereditario si fueran cuatro o menos de cuatro, y la mitad de la herencia si fuesen más. • Padres: la mitad del haber hereditario de los hijos y descendientes, salvo el caso en que concurrieran con el cónyuge viudo del descendiente causante, en cuyo supuesto será de una tercera parte de la herencia.	

CUESTIONES

1. ¿Qué ocurre cuando una persona no tiene herederos forzosos o legitimarios?

La persona que no tenga herederos forzosos puede disponer por testamento de todos sus bienes o de parte de ellos en favor de cualquier persona que tenga capacidad para adquirirlos (artículo 763 del CC).

2. ¿Qué puede hacer un hijo del fallecido si este le ha dejado en testamento menos de lo que le corresponde por legítima?

El hijo, como heredero forzoso del causante, podrá pedir el complemento de su legítima siempre que el testador le haya dejado, por cualquier título, menos de la legítima que le corresponda.

3. El causante de una sucesión, nacido en Galicia de dos padres también gallegos, falleció en Madrid, donde había residido durante 15 años de forma continuada. Sus dos hijos se preguntan a qué legítima tendrán derecho.

Las legítimas son una cuestión que dependerá de la legislación civil que en cada caso resulta aplicable, por lo que el primer paso será establecer si resulta de aplicación la legislación civil común del CC o la de alguno de los territorios forales. A tal fin, será necesario determinar, en primer término, **cuál es la vecindad civil del causante.**

En principio, por haber nacido en Galicia y de padres gallegos, el causante tendría vecindad civil gallega (lo que supondría la aplicación de la legislación civil foral de Galicia). Sin embargo, **en el momento del fallecimiento llevaba mucho tiempo residiendo en Madrid,** un territorio de derecho común, con lo que, según el artículo 14 del CC, habría adquirido dicha vecindad civil (por residencia continuada de más de diez años sin haber manifestado lo contrario en declaración con constancia en el registro civil).

Por lo tanto, el causante tenía vecindad civil en territorio de derecho común y a su sucesión le resultará de aplicación el régimen del Código Civil. Conforme a él, los hijos tendrán derecho a dos tercios de la herencia como legítima, una porción superior a la que les habría correspondido si la vecindad del causante hubiese sido gallega (la legislación de Galicia atribuye a los hijos como legítima la cuarta parte del valor del haber hereditario líquido).

4. Si el valor neto de la herencia de este causante era de 300.000 euros y tenía cuatro hijos, ¿qué legítima le corresponderá a cada uno?

Para calcular las legítimas conforme al régimen previsto en el Código Civil, hay que dividir la herencia en tres tercios: uno de legítima estricta, otro de mejora y otro de libre disposición. Cada uno de esos tercios tendrá un valor de 100.000 euros.

Así, la legítima estricta que corresponderá a los hijos del causante será de 100.000 euros, a repartir entre cuatro. Por lo tanto, cada uno de ellos tendrá derecho a recibir bienes o derechos por valor de 25.000 euros en concepto de legítima corta o estricta.

El segundo tercio, de mejora y también valorado en 100.000 euros, corresponderá al hijo o descendiente al que hubiese mejorado el causante. Sin embargo, si este no hubiese dispuesto de la mejora en favor de ninguno de sus hijos y descendientes, este segundo tercio se distribuirá también en cuatro partes iguales de 25.000 euros, correspondiendo una a cada uno de los herederos forzosos.

Por lo tanto:

Si el causante dispuso de toda la mejora en favor de alguno de los hijos, el mejorado tendrá derecho al tercio de mejora íntegro y a recibir bienes o derechos por valor de 25.000 euros como legítima estricta; mientras que el resto de los herederos forzosos tendrán derecho a recibir bienes y derechos por valor de 25.000 euros como legítima corta.

Si el causante no dispuso del tercio de mejora en favor de ninguno de los hijos o descendientes, cada uno de los cuatro hijos tendrá derecho a una legítima valorada en 50.000 euros.

El causante también pudo haber dispuesto del tercio de mejora en favor de alguno o algunos de los hijos de manera parcial, lo que supondría que la parte atribuida como mejora correspondería al o a los favorecidos por ella y la restante formaría parte de la legítima corta o estricta, a repartir por partes iguales.

5. Suponiendo que en el supuesto anterior no se hubiera atribuido la mejora a ningún hijo o descendiente y que a cada hijo le correspondiera una legítima de 50.000 euros, ¿qué sucedería si uno de los hijos heredero forzoso hubiera muerto con carácter previo al causante, dejando cinco hijos —nietos del causante—? ¿Qué legítima correspondería a cada uno de esos nietos?

En ese caso, los nietos pasarán a ocupar el lugar de su padre (hijo fallecido del causante). Por lo tanto, la parte de legítima del hijo premuerto (50.000 euros) corresponderá a su estirpe, que se la repartirá por cabezas: los 50.000 euros se dividirán entre sus cinco hijos (nietos del causante), resultando una legítima de 10.000 euros para cada uno de ellos.

1.4.2. Las sustituciones hereditarias

Las sustituciones hereditarias son disposiciones testamentarias por medio de las cuales **el testador llama a la herencia o legado a un tercero,** en defecto de otra persona o después de ella. Es decir, **son disposiciones previstas en el testamento en virtud de las cuales se nombran una o varias personas que tendrán que reemplazar a los herederos o legatarios instituidos en primer término, para el caso de que estos no puedan o no quieran heredar.**

Se encuentran reguladas en los artículos 774 y siguientes del Código Civil, y pueden ser de varios tipos: vulgar, pupilar, ejemplar y fideicomisaria.

|| a. Sustitución vulgar

La sustitución vulgar es aquella que se produce en virtud de una disposición testamentaria en la que el testador nombra a un segundo o ulterior heredero para el caso de que el primero o anterior muera antes que él, o de que no quiera o no pueda aceptar la herencia.

|| b. Sustitución pupilar

La sustitución pupilar se produce cuando los padres y demás ascendientes nombran sustitutos a sus descendientes menores de catorce años, para el caso de que mueran antes de dicha edad. Cuando el sustituido tenga herederos forzosos, esta sustitución solo será válida en cuanto no perjudique a la legítima de estos.

|| c. Sustitución ejemplar

Este tipo de sustitución, regulada en el antiguo artículo 776 del CC, en virtud de la cual los padres y demás ascendientes podían nombrar sustituto al descendiente mayor de catorce años que, «*conforme a derecho, haya sido declarado incapaz por enajenación mental*», **ya no está vigente**.

Mediante la Ley 8/2021, de 2 de junio, se derogó dicho precepto. Se trata de una modificación que entró en vigor el 3 de septiembre de 2021 y, según la disposición transitoria cuarta de la propia Ley 8/2021, de 2 de junio, en caso de existir una sustitución de esta clase y fallecer el sustituido con posterioridad a la entrada en vigor de la norma, la sustitución dejará de ser ejemplar, sin que pueda suplir el testamento de la persona sustituida, aunque la sustitución se entenderá como una sustitución fideicomisaria de residuo en cuanto a los bienes que el sustituyente hubiera transmitido a título gratuito a la persona sustituida.

‖ d. Sustitución fideicomisaria

La sustitución fideicomisaria es aquella en virtud de la cual se encarga al heredero (fiduciario) que conserve y transmita a un tercero (fideicomisario) el todo o parte de la herencia. Únicamente será válida y surtirá efecto cuando no pase del segundo grado o se haga en favor de personas que vivan al tiempo de fallecer el testador. Este tipo de sustituciones nunca podrán gravar la legítima, salvo cuando se establezcan en favor de uno o varios hijos del testador que se encuentren en situación de discapacidad; y, en caso de que recaigan sobre el tercio de mejora, solo podrán establecerse en favor de los descendientes.

Pueden revestir dos modalidades: la **ordinaria**, en la que el fiduciario debe conservar los bienes para luego entregárselos a los fideicomisarios; y la **de residuo**, en la que el fiduciario tiene facultades de disposición y solo transmitirá al fideicomisario el «residuo» de los bienes de que no haya dispuesto.

No surtirán efecto las sustituciones fideicomisarias:

- Si no se hacen de una manera expresa, dándoles ese nombre o imponiendo al sustituido la obligación terminante de entregar los bienes a un segundo heredero.
- Si contienen una prohibición perpetua de enajenar, o bien temporal fuera de los límites antes apuntados.
- Si imponen al heredero el encargo de pagar a varias personas sucesivamente, más allá del segundo grado, cierta renta o pensión.
- Si tienen por objeto dejar a una persona el todo o parte de los bienes hereditarios para que los aplique o invierta según instrucciones reservadas que le hubiese comunicado el testador.

CUESTIONES

1. ¿Las cargas que se hubiesen impuesto a un heredero o legatario, luego sustituido, se trasladan al sustituto?

Sí, el sustituto quedará sujeto a las mismas cargas y condiciones que se habían impuesto al inicialmente instituido, a menos que el testador haya dispuesto expresamente lo contrario o que los gravámenes o condiciones sean meramente personales del instituido.

2. ¿El testador puede establecer una sustitución fideicomisaria de forma tácita, sin señalarlo explícitamente?

No. Aquellas sustituciones fideicomisarias que no se hagan de manera expresa, bien dándoles ese nombre o bien imponiendo al sustituido la obligación terminante de entregar los bienes a un segundo heredero, no surtirán efecto (artículo 785 del CC).

3. ¿Qué implica que las sustituciones fideicomisarias solo sean válidas si no pasan del segundo grado o se hacen en favor de personas que vivan al tiempo de fallecer el testador?

Según ha señalado la jurisprudencia, esta limitación supone que se permitan llamamientos sucesivos a favor de personas vivas y dos más a personas que no vivan al tiempo de fallecer el causante. Así, la referencia que se hace a los «grados» debe entenderse en el sentido de llamamientos efectivos de fideicomisarios, pudiendo efectuarse dos transmisiones sin contar la del fiduciario inicial.

4. ¿La ineficacia de una sustitución fideicomisaria afecta a la disposición hecha a favor del primer heredero?

La nulidad de una sustitución fideicomisaria no afectará a la validez de la institución ni a los herederos del primer llamamiento. Únicamente se tendrá por no escrita la cláusula fideicomisaria (artículo 786 del CC).

1.4.3. La desheredación y la preterición

La desheredación y la preterición son dos figuras estrechamente relacionadas con la legítima y que **únicamente tienen virtualidad en la sucesión testada o con testamento**.

‖ a. La desheredación

La desheredación es la **disposición testamentaria por la que el testador priva a uno o varios de sus herederos forzosos de su parte de la legítima**. Se encuentra regulada en los artículos 848 y siguientes del Código Civil.

Ahora bien, el testador no puede desheredar libremente y sin motivo. Solo podrá hacerlo por alguna de las causas que de manera taxativa establece la ley, lo que supone que deba imputarse al desheredado una acción u omisión que legalmente baste para privarle de sus derechos legitimarios y que, además, haya ocurrido con anterioridad al otorgamiento del testamento. Asimismo, esa causa en la que se funda la desheredación tendrá que expresarse en el testamento y, en caso de que el desheredado la niegue, los herederos serán quienes deban probar que es cierta.

> **A TENER EN CUENTA**. Vistas estas notas básicas de la desheredación, a simple vista podría confundirse con la indignidad a la que ya nos referimos en otro apartado de esta obra, pero en realidad ambos conceptos son distintos (y, ello, con independencia de que la desheredación pueda basarse, según luego veremos, en las mismas causas que determinan la indignidad). No en vano, la indignidad es una causa que incapacita para suceder en ausencia de remisión expresa o tácita por parte del causante. Por el contrario, la desheredación supone una disposición específica del testador, en virtud de la cual priva al heredero forzoso de su legítima.

Las **causas genéricas que permiten desheredar** a un legitimario se establecen por **remisión a algunas de las recogidas como determinantes de indignidad** para suceder:

- Haber sido condenado por sentencia firme por haber atentado contra la vida, o a pena grave por haber causado lesiones o por haber ejercido habitualmente violencia física o psíquica en el ámbito familiar al causante, su cónyuge, persona a la que esté unido por análoga relación de afectividad o alguno de sus descendientes o ascendientes.

- Haber sido condenado por sentencia firme por delitos contra la libertad, la integridad moral y la libertad e indemnidad sexual, si el ofendido es el causante, su cónyuge, la persona a la que esté unido por análoga relación de afectividad o alguno de sus descendientes o ascendientes. Asimismo, el condenado por sentencia firme a pena grave por haber cometido un delito contra los derechos y deberes familiares respecto de la herencia de la persona agraviada; y también el privado por resolución firme de la patria potestad, o removido del ejercicio de la tutela o acogimiento familiar de un menor o del ejercicio de la curatela de una persona con discapacidad por causa que le sea imputable, respecto de la herencia del mismo.

- Haber acusado al causante de delito para el que la ley señala pena grave, si es condenado por denuncia falsa.

- Haber obligado al testador a hacer testamento o a cambiarlo con amenaza, fraude o violencia.

- Por iguales medios, haber impedido a otro hacer testamento o revocar el que tuviese hecho, o haber suplantado, ocultado o alterado otro posterior.

Además, se establecen también ciertas **causas específicas que permiten desheredar a cada tipo de legitimario**. Estas causas son diferentes en función de que se trate de descendientes, ascendientes o del cónyuge; y se añaden a las causas genéricas ya enumeradas, que resultarán de aplicación para todos ellos, con una única salvedad: la recogida en el primer punto antes indicado no podrá aplicarse para desheredar a los hijos y descendientes ni al cónyuge.

Veamos a continuación estas causas específicas de desheredación:

- Causas específicas que permiten desheredar a los **hijos y descendientes**:
  - » Haber negado, sin motivo legítimo, los alimentos al padre o ascendiente que le desredera.
  - » Haberle maltratado de obra o injuriado gravemente de palabra.

- Causas específicas que permiten desheredar a los **padres y ascendientes**:
  - » Haber perdido la patria potestad.
  - » Haber negado los alimentos a sus hijos o descendientes sin motivo legítimo.
  - » Haber atentado uno de los padres contra la vida del otro, si no hubiere habido entre ellos reconciliación.

- Causas específicas que permiten desheredar al **cónyuge:**
  - » Haber incumplido grave o reiteradamente los deberes conyugales.
  - » Las que dan lugar a la pérdida de la patria potestad.
  - » Haber negado alimentos a los hijos o al otro cónyuge.
  - » Haber atentado contra la vida del cónyuge testador, si no hubiera mediado reconciliación.

La **reconciliación** posterior del ofensor y el ofendido priva a este del derecho de desheredar y deja sin efecto la desheredación ya hecha.

Finalmente, y por lo que se refiere a los **efectos de la desheredación**, cuando exista una desheredación justa (porque el desheredado no niegue su causa o porque así se declare judicialmente en caso contrario) se producirá la **pérdida del derecho a la legítima que le hubiera correspondido al desheredado.** Los **hijos o descendientes del desheredado pasarán a ocupar su lugar** y conservarán los derechos de herederos forzosos con respecto a la legítima.

Si la desheredación fuese injusta, por no haberse expresado su causa en el testamento, haber sido contradicha por el interesado y no resultar probada o ser diferente de las establecidas legalmente, se anulará la institución de heredero en cuanto perjudique al desheredado. Sin embargo, valdrán los legados, mejoras y demás disposiciones testamentarias en cuanto no perjudiquen a la legítima.

> **CUESTIÓN**
>
> **Si el testador deshereda a uno de sus hijos, ¿esta desheredación afecta a las donaciones que le hubiese hecho en vida?**
>
> No. La desheredación justa no alcanza a las donaciones que el testador haya hecho en vida al desheredado, que seguirán siendo válidas, a menos que el hecho que haya causado la desheredación también constituya una causa de revocación de la donación.
>
> En este sentido y, por ejemplo, una de las causas que permiten revocar las donaciones es la ingratitud del donatario o beneficiario de la donación, que se producirá cuando se den las circunstancias que especifica el artículo 648 del CC:
>
> - La comisión por el donatario de algún delito contra la persona, el honor o los bienes del donante.
> - La imputación al donante, por parte del donatario, de alguno de los delitos que dan lugar a procedimientos de oficio o acusación pública, aunque lo pruebe; a menos que el delito se hubiese cometido contra el mismo donatario, su cónyuge o los hijos bajo su autoridad.
> - La negación de alimentos al donante por parte del donatario.

‖ b. La preterición

La preterición consiste en la **falta de mención de todos o algunos de los legitimarios en el testamento, sin que hayan recibido su legítima,** y puede ser de dos clases: **intencional,** cuando el testador omite al heredero forzoso sabiendo que existe; y **no intencional o errónea,** cuando la omisión se debe a que el testador ignoraba que el legitimario preterido existía en el momento de otorgar el testamento. Sus efectos se regulan fundamentalmente en el artículo 814 del CC.

La preterición de un heredero forzoso no perjudica su legítima, sino que se irán reduciendo otras disposiciones que el testador hubiese realizado, conforme al orden que establece la ley, para que el preterido pueda recibirla, aun no figurando en el testamento. En concreto, se reducirá la institución de heredero antes que los legados, mejoras y demás disposiciones testamentarias.

Sin embargo, la preterición no intencional de hijos o descendientes producirá los siguientes efectos específicos:

- Si resultaran preteridos todos, se anularán las disposiciones testamentarias de contenido patrimonial.

- En otro caso, se anulará la institución de herederos, pero valdrán las mandas y mejoras ordenadas por cualquier título, en cuanto unas y otras no sean inoficiosas. No obstante, la institución de heredero a favor del cónyuge solo se anulará en cuanto perjudique a las legítimas.

Los descendientes de otro descendiente que no hubiera sido preterido representan a este en la herencia del ascendiente y no se consideran preteridos.

Si los herederos forzosos preteridos mueren antes que el testador, el testamento surtirá todos sus efectos.

CUESTIÓN

Una persona fallece en 2024. Había otorgado testamento en el año 2006, en el que instituía herederos a los dos hijos que tenía en aquel momento, por partes iguales, y atribuía el usufructo universal (sobre toda su herencia) a su esposa. Sin embargo, y por razones evidentes, en él no se hacía mención alguna al tercer hijo que el matrimonio tuvo en el año 2012, en cuyo favor el causante tampoco había realizado ninguna disposición de bienes en vida. ¿El hijo menor perderá su derecho a la legítima por ese motivo?

La falta de mención de un hijo en el testamento, sin que se le hubiese satisfecho su legítima de ningún modo, es lo que se denomina preterición y puede ser intencional o no intencional.

En el supuesto planteado, la preterición es no intencional, puesto que en el momento de otorgarse el testamento el tercer hijo todavía no había nacido. Supondrá que se anulen las instituciones de herederos de sus hermanos para que el más pequeño pueda recibir lo que por legítima le corresponde.

1.4.4. La interpretación y la ejecución de las disposiciones testamentarias. El albacea

El testamento constituye la expresión de la última voluntad de una persona y despliega su eficacia, precisamente, tras la muerte de dicha persona. Por ese motivo, una vez abierta la sucesión, si surgen dudas en torno a la interpretación de alguna de sus cláusulas, no podrá acudirse al propio testador para solventarlas. Es en tal punto donde cobran importancia los criterios que para la interpretación de los testamentos establece el artículo 675 del CC, según el cual las disposiciones testamentarias deberán entenderse en el sentido literal de sus palabras, a no ser que parezca claramente que fue otra la voluntad del testador. En caso de duda, se observará lo que aparezca más conforme a la intención del testador según el tenor del propio testamento.

En definitiva, el **criterio prioritario que ha de presidir la interpretación del testamento es la consideración y el respeto de la voluntad del testador**.

Una vez aclarado el modo en el que deben interpretarse las disposiciones testamentarias, conviene tener presente que la ejecución de las mismas, esto es, su puesta en práctica **suele recaer en manos de los herederos**. Ahora bien, puede ser que los herederos no existan, que sean desconocidos, que se hallen incapacitados para ejecutar el testamento por el motivo que sea o que tengan intereses contrapuestos a los del testador. Es por ello por lo que se permite que el testador designe una persona de su confianza que vele por la efectividad de lo dispuesto en el testamento: el **albacea o testamentario.**

El albacea es aquella persona nombrada por el testador como encargada de ejecutar su última voluntad, cuya regulación se contiene en los artículos 892 y siguientes del CC. Su cargo se caracteriza por las siguientes notas:

- Es **potestativo,** puesto que nace como fruto de la libre voluntad del testador.

- Es **voluntario,** dado que requiere la aceptación del designado; aunque se entenderá aceptado si el nombrado para desempeñarlo no se excusa dentro de los seis días siguientes a aquel en el que tenga noticia de su nombramiento o, si este le era ya conocido, dentro de los seis días siguientes a aquel en el que supo la muerte del testador. Sin embargo, una vez aceptado, su desempeño es obligatorio, salvo que concurra justa causa para renunciar a él.

- Tiene un carácter **personalísimo,** al basarse en una especial relación de confianza con el testador. El albacea no podrá delegar en otro el ejercicio de sus funciones, salvo que cuente con expresa autorización del testador.

- Es un cargo **normalmente gratuito**, aunque el testador podrá señalarle la remuneración que tenga por conveniente, sin perjuicio del derecho del albacea para cobrar lo que le corresponda por los trabajos de partición u otros de carácter facultativo.

- Tiene una **duración temporal limitada**, que finaliza una vez que se cumple la voluntad del testador o bien transcurridos los plazos fijados por la ley.

Por otra parte, los albaceas pueden ser de **distintas clases**:

- Según su nombramiento, los albaceas pueden ser **testamentarios** (designados por el testador), **legítimos** (llamados por la ley en defecto del anterior, básicamente se refieren a casos en los que se extinga el cargo de albacea, no exista aceptación del mismo o no se designe, en que la ejecución de la voluntad del testador corresponderá a los herederos como albaceas legítimos) o **dativos** (nombrados por el juez a falta de los anteriores o en la sucesión intestada sin parientes próximos).

- Según el alcance de las facultades que tengan conferidas, los albaceas pueden ser **universales o particulares**. El universal será el autorizado por el testador para el cumplimiento íntegro de su última voluntad, hasta dejar ultimada la sujeción; y el particular, el únicamente facultado para realizar ciertas funciones concretas y determinadas.

- Por el número y modo de actuar, cabe distinguir los **albaceas nombrados de forma mancomunada, sucesiva o solidaria**. En el caso de albaceas mancomunados, solo valdrá lo que hagan de común acuerdo o lo que haga uno de ellos legalmente autorizado por los demás, o lo que, en caso de disidencia, acuerde el mayor número. Ahora bien, en supuestos de suma urgencia, uno de los albaceas mancomunados podrá practicar, bajo su responsabilidad personal, los actos que fuesen necesarios, dando cuenta inmediatamente a los demás. En el caso de que el testador no establezca claramente la solidaridad de los albaceas (que supone que cada uno pueda actuar válidamente sin necesidad de los restantes), ni fije el orden en el que deben desempeñar su encargo, se entenderán nombrados mancomunadamente.

Los albaceas tendrán todas las facultades que les haya conferido el testador y no sean contrarias a las leyes. Sin embargo, en caso de que el testador no determine de manera especial sus **facultades,** tendrán las siguientes:

- Disponer y pagar los sufragios y el funeral del testador con arreglo a lo dispuesto por él en el testamento; y, en su defecto, según la costumbre del pueblo.

- Satisfacer los legados que consistan en metálico, con el conocimiento y beneplácito del heredero.

- Vigilar sobre la ejecución de todo lo demás ordenado en el testamento y sostener, siendo justo, su validez en juicio y fuera de él.

- Tomar las precauciones necesarias para la conservación y custodia de los bienes, con intervención de los herederos presentes.

Además, si no hubiera dinero bastante para el pago de funerales y legados, y los herederos no lo aportasen de lo suyo, los albaceas promoverán la venta de los bienes muebles; y, si estos no alcanzasen, la de los inmuebles, con intervención de los herederos. Si estuviese interesado en la herencia algún menor, ausente, corporación o establecimiento público, la venta de los bienes se hará con las formalidades que legalmente se exijan para estos casos.

El albacea que acepte el cargo tendrá obligación de desempeñarlo. Su cargo, como antes apuntamos, es de carácter temporal. **Si el testador no le ha fijado plazo, tendrá que cumplir el encargo dentro de un año**, contado desde la aceptación, o desde que terminen los litigios que se promovieran sobre la validez o nulidad del testamento o de alguna de sus disposiciones.

En el caso de que el testador quisiera ampliar el plazo legal, deberá señalar expresamente el de la **prórroga**. Si no lo hubiese señalado, se entenderá prorrogado el plazo por un año. Si, transcurrida esta prórroga todavía no se hubiese cumplido la voluntad del testador, el letrado de la Administración de Justicia o el notario podrán conceder otra por el tiempo que fuese necesario, atendidas las circunstancias del caso. Asimismo, los herederos y legatarios podrán prorrogar de común acuerdo el plazo del albaceazgo por el tiempo que crean necesario; pero, si el acuerdo solo fuese por mayoría, la prórroga no podrá exceder de un año.

Los albaceas deberán **dar cuenta de su encargo** a los herederos. Si hubiesen sido nombrados, no para entregar los bienes a herederos determinados, sino para darles la inversión o distribución que el testador hubiese dispuesto en los casos permitidos por derecho, rendirán sus cuentas al juez. Toda disposición del testador contraria a lo ahora señalado será nula.

Finalmente, el albaceazgo es un cargo que **terminará por la muerte, imposibilidad, renuncia o remoción del albacea, y por el lapso del término** señalado por el testador, por la ley y, en su caso, por los interesados. La remoción deberá ser apreciada por el juez.

1.5. La sucesión sin testamento

¿Cómo se hereda si no existe testamento?

Con carácter general, suele decirse que la sucesión intestada o *ab intestato* es aquella que se defiere por la ley a falta de testamento, pero también se abre en otros casos en los que existe un testamento ineficaz, imposible de ejecutar o que omite ciertos extremos.

Su regulación se recoge en los artículos 912 y siguientes del Código Civil, precisando el primero de ellos los supuestos concretos en que tiene lugar este tipo de sucesión, que son los siguientes.

- Cuando **una persona muere sin testamento, o con testamento nulo, o que haya perdido después su validez**.

- Cuando **el testamento no contiene institución de heredero en todo o en parte de los bienes, o no dispone de todos** los que corresponden al testador. En este caso, la sucesión intestada tendrá lugar solamente respecto de los bienes de los que no hubiese dispuesto.

- Cuando **falta la condición puesta a la institución de heredero o este muere antes que el testador, o repudia la herencia sin tener sustituto y sin que haya lugar al derecho de acrecer.** Analizaremos el derecho de acrecer en otro epígrafe posterior de la obra, por lo que aquí nos limitaremos a aclarar que su aplicación supone que la parte de un heredero que quede vacante por no poder o no querer este adquirirla se reparta entre el resto de los herederos que sí llegan a recibir sus porciones, aunque se trata de un derecho que no opera en todos los casos, sino solo cuando concurran ciertas circunstancias. En esa medida, si un heredero renuncia a su porción hereditaria y no tiene nombrado un sustituto que lo reemplace en ella y esa porción tampoco se reparte entre el resto de los herederos que sí adquieren las suyas, porque no se dan los requisitos para que pueda aplicarse el derecho de acrecer, se abriría la sucesión *ab intestato* con respecto a ella.

- Cuando el **heredero instituido es incapaz de suceder**.

> **A TENER EN CUENTA**. El Código Civil se refiere en múltiples ocasiones a la sucesión intestada como «sucesión legítima», aunque esta expresión puede resultar equívoca y llevar a confusión con la figura de la legítima, entendida como aquella porción de bienes que la ley reserva a ciertas personas y que el testador debe respetar. Por ese motivo, a lo largo de la guía evitaremos utilizarla.

Así las cosas, en los supuestos en que se abra la sucesión intestada, los distintos llamamientos a la herencia se harán en el orden que especifica la ley, a cuyos efectos antes conviene conocer cómo se computan los grados de parentesco y de qué modos se puede suceder cuando son varias las personas llamadas.

‖ a. Los grados de parentesco

La proximidad del parentesco se determina por el número de generaciones, formando un **grado** cada generación.

Por otra parte, la serie de grados o generaciones forma la **línea,** que puede ser directa o colateral. La línea recta o directa es aquella que une la serie de grados entre personas que descienden unas de otras, mientras que la **colateral** es la formada por los grados entre personas que no descienden unas de otras, pero que proceden de un tronco común. La línea **recta,** a su vez, puede ser **descendente** (une al cabeza de familia con los que descienden de él) o **ascendente** (liga a una persona con aquellos de quienes desciende).

En cuanto al cómputo de los grados, en las líneas se cuentan tantos grados como generaciones o como personas haya, descontando la del progenitor. Si la línea es recta, se sube únicamente hasta el tronco; así, el hijo dista del padre un grado, dos del abuelo y tres del bisabuelo. Sin embargo, si la línea es colateral, se sube hasta el tronco común y después se baja hasta la persona con quien se hace el cálculo; por ello, el hermano dista dos grados del hermano, tres del tío que sea hermano de su padre o de su madre, cuatro del primo hermano y así en adelante.

Se llama doble vínculo al parentesco por parte del padre y de la madre conjuntamente.

‖ b. Los modos de suceder

Cuando se hayan determinado las personas llamadas a suceder al causante y sean varias, será necesario distribuir o repartir la herencia entre ellas. A tal fin, nuestro Código Civil utiliza distintos criterios, según los casos:

- **Por cabezas**. La sucesión por cabezas consiste en dividir la herencia en **tantas partes como personas estén llamadas** a la sucesión. Como excepción, en el caso de que concurran hermanos de doble vínculo (de padre y madre) con hermanos de vínculo sencillo (medio hermanos), en que los primeros tomarán doble porción que los segundos. Es la forma habitual de repartir una herencia.

- **Por estirpes**. En este caso, **la herencia se distribuye por grupos de parientes**, de forma que los de cada grupo toman conjuntamente la cuota que le hubiera correspondido a su causante si hubiese vivido o podido heredar. Tiene lugar cuando se hereda por representación y también en algún supuesto especial, como cuando heredan los nietos (que adquieren conjuntamente la parte que habría correspondido a su progenitor, como hijo o hija del causante).

- **Por líneas**. La sucesión por líneas consiste en **repartir la herencia en dos partes iguales, una para los parientes de la línea paterna y otra para los de la línea materna**, prescindiendo del número de personas que haya en cada línea. Después, dentro de cada línea, la distribución se hace por cabezas. Es un modo de suceder que se aplica cuando suceden los ascendientes de segundo grado o más allá; cuando los haya del mismo grado, pero de distintas líneas (por ejemplo, si heredan los abuelos del causante y viven ambos abuelos paternos y solo la abuela materna, la herencia se dividirá en dos partes: una mitad para la línea paterna, que se dividirá entre los dos abuelos por partes iguales, y otra mitad para la línea materna, que percibirá íntegra la abuela materna).

CUESTIONES

1. Fallecida una persona, su bisnieto se pregunta qué grado de parentesco le une con el causante.

El bisnieto es pariente del causante de tercer grado por línea recta descendente.

2. ¿Qué parentesco une a una persona con su tío abuelo, hermano de una de sus abuelas?

En este caso, entre ellos existirá un parentesco por línea colateral, de cuarto grado.

3. Un causante había tenido tres hijos, pero en el momento de su muerte solo quedan dos con vida, sin hijos, y cuatro nietos nacidos del ya fallecido. ¿Cómo distribuirán la herencia por estirpes?

La herencia tendría que dividirse en tres partes iguales, por ser tres los grupos de parientes. La primera y la segunda parte serían íntegras para cada uno de los hijos que sobrevive al causante. La tercera correspondería a los nacidos del hijo fallecido, que, al ser cuatro, percibirán cada uno la cuarta parte de esa porción.

Orden de llamamientos en la sucesión intestada

Visto todo lo anterior, entraremos ahora en el **orden de llamamientos que la ley establece para la sucesión *ab intestato***. Se trata de llamamientos sucesivos, que se realizan en función del grado de parentesco y de su proximidad con el causante, y que **operan unos en defecto de otros**. El orden general es el siguiente: descendientes, ascendientes, cónyuge, hermanos y sobrinos, otros colaterales hasta el cuarto grado y, finalmente, el Estado.

Los veremos ahora un poco más en detalle.

|| 1.º. Llamamiento a la línea recta descendente

En la sucesión intestada, la sucesión corresponde en primer lugar a la línea recta descendente. Así, **los hijos y sus descendientes suceden a sus padres y demás ascendientes** sin distinción de sexo, edad o filiación.

Los hijos del difunto le heredarán siempre por su derecho propio, dividiendo la herencia en partes iguales; mientras que los nietos y demás descendientes heredarán por derecho de representación y, si alguno hubiese fallecido dejando varios herederos, la porción que le corresponda se dividirá entre estos por partes iguales. Si quedasen hijos y descendientes de otros hijos que hubiesen fallecido, los primeros heredarán por derecho propio y los segundos por derecho de representación.

|| 2.º. Llamamiento a la línea recta ascendente

A falta de hijos y descendientes del fallecido, le heredarán sus ascendientes.

El padre y la madre heredarán por partes iguales y, en el caso de que solo sobreviva uno de los padres, este sucederá al hijo en toda su herencia.

En defecto de padre y de madre, sucederán los ascendientes más próximos en grado. Si hubiese varios ascendientes de igual grado pertenecientes a la misma línea, dividirán la herencia por cabezas. Si los ascendientes fuesen de líneas diferentes, pero de igual grado, la mitad corresponderá a los ascendientes paternos y la otra mitad a los maternos, realizándose en cada línea la división por cabezas.

|| 3.º. Llamamiento al cónyuge

A falta de descendientes y ascendientes, y antes que los colaterales, sucederá en todos los bienes del difunto el cónyuge sobreviviente. Sin embargo, este llamamiento al cónyuge no tendrá lugar si estuviese separado legalmente o de hecho del causante.

Sin embargo, hay que tener en cuenta que, **si el cónyuge concurre a la herencia con descendientes o ascendientes, tendrá derecho a su cuota legal usufructuaria también en la sucesión intestada**. En concreto, existiendo hijos o descendientes, tendrá derecho al usufructo de un tercio de la herencia; y si no existen descendientes, pero sí ascendientes, le corresponderá el usufructo de la mitad de la herencia. A falta de descendientes y ascendientes en la sucesión intestada, no será usufructuario, sino que será llamado como heredero a todos los bienes del difunto, conforme a lo apuntado en el párrafo anterior.

A TENER EN CUENTA. En el derecho civil común contenido en el Código Civil español, la pareja de hecho carece de derechos sucesorios a falta de testamento. De ahí la importancia de que hagan testamento aquellas personas cuya sucesión vaya a regirse por esta legislación y que quieran dejar bienes a su pareja. Buena parte de las legislaciones forales, sin embargo, sí reconocen derechos sucesorios a las parejas de hecho, análogos a los de los cónyuges; como sería, por ejemplo, el caso de Galicia, el País Vasco o Cataluña (si bien algunas de ellas exigen a tal fin ciertos requisitos, como la inscripción en el correspondiente registro de parejas de hecho).

|| 4.º. Llamamiento a los parientes colaterales

Los **hermanos e hijos de hermanos** suceden con preferencia a los demás colaterales.

Si solo existiesen hermanos de doble vínculo, heredarán por partes iguales. Si concurren hermanos con sobrinos, hijos de hermanos de doble vínculo, los primeros heredarán por cabezas y los segundos por estirpes. Si concurrieran hermanos de padre y madre con medio hermanos, aquellos tomarán doble porción que estos en la herencia.

En el caso de no existir sino medio hermanos, unos por parte de padre y otros por la de la madre, heredarán todos por partes iguales, sin ninguna distinción de bienes. Los hijos de los medio hermanos sucederán por cabezas o por estirpes, según las reglas establecidas para los hermanos de doble vínculo.

Quedando hijos de uno o más hermanos del difunto, le heredarán por representación (por estirpes) si concurren con algún tío. En caso de que no hubiese tíos y solo concurriesen sobrinos, heredarían por partes iguales.

Cuando no hubiese hermanos ni hijos de hermanos, sucederán en la herencia del difunto los demás parientes del mismo en línea colateral hasta el cuarto grado, más allá del cual no se extiende el derecho de heredar *ab intestato*. La sucesión de estos colaterales se verificará sin distinción de líneas ni preferencia entre ellos por razón del doble vínculo.

|| 5.º. La sucesión por el Estado

A falta de personas que tengan derecho a heredar conforme a los apartados anteriores, heredará el Estado, quien, una vez realizada la liquidación del caudal hereditario, ingresará la cantidad resultante en el Tesoro público, salvo que por la naturaleza de los bienes heredados el consejo de ministros acuerde darles, total o parcialmente, otra aplicación. Dos terceras partes de ese caudal relicto serán destinadas a fines de interés social, añadiéndose a la asignación tributaria que para tales fines se realice en los presupuestos generales del Estado.

Los derechos y obligaciones del Estado serán los mismos que los de los demás herederos, pero se entenderá siempre aceptada la herencia a beneficio de inventario, sin necesidad de declaración alguna sobre ello (esto es, únicamente responderá de las deudas y cargas de la herencia con los bienes hereditarios, nunca con los suyos propios). Para poder tomar posesión de los bienes, el Estado tendrá que adjudicárselos por falta de otros herederos mediante declaración administrativa de heredero.

CUESTIONES

1. La persona A, soltera, fallece en el año 2024, sin haber otorgado testamento y sin hijos, descendientes ni padres que le sobrevivan. Sin embargo, a su muerte todavía viven sus dos abuelos paternos y la abuela materna. Su herencia está valorada en 400.000 euros. ¿Quiénes serán sus herederos y en qué porción?

En ausencia de testamento, y al no existir descendientes, correspondería heredar a los padres y demás ascendientes. Ambos padres murieron antes que el causante, por lo que, a falta de ellos, heredarán los abuelos.

Sobrevivieron al causante los dos abuelos paternos y la abuela materna, por lo que habría ascendientes de igual grado y distintas líneas, que sucederán del siguiente modo: la mitad de la herencia corresponderá a los de la línea paterna y la otra mitad a los de la materna. En la línea materna solo sobrevive la abuela del causante, por lo que le corresponderán a ella los 200.000 euros de dicha línea; por el contrario, en la línea paterna aún viven ambos abuelos, que se repartirán por partes iguales su mitad de la herencia, correspondiendo a cada uno 100.000 euros.

2. Si el causante de la pregunta anterior estuviese casado en el momento de su fallecimiento, ¿el viudo recibiría algo de su herencia?

Al existir ascendientes del causante que heredarán *ab intestato*, el cónyuge del fallecido tendría derecho al usufructo de la mitad de la herencia.

3. Los parientes más próximos de un causante, que no ha otorgado testamento y cuya herencia está valorada en 600.000 euros, son los siguientes:

- A, hermano de doble vínculo (de padre y de madre).
- B1 y B2, sobrinos del causante e hijos de una hermana de doble vínculo, fallecida antes que el causante.
- C, un medio hermano.

¿Cómo se repartirían la herencia?

Al tratarse de una sucesión intestada y no existir descendientes, ascendientes ni cónyuge, sucederán al causante sus colaterales. En primer término, sus hermanos e hijos de hermanos.

Los sobrinos del causante, al concurrir con sus tíos, heredarán por derecho de representación la parte que habría correspondido a su madre como hermana de doble vínculo del causante. El medio hermano, como concurre con otros que son hermanos de doble vínculo, percibirá en la herencia la mitad que un hermano de doble vínculo.

Así, habrá que dividir la herencia en 2,5 partes: una para el hermano de doble vínculo, otra para los sobrinos que heredan por estirpe —hijos de la hermana de doble vínculo— y media parte para el medio hermano.

Por lo tanto, el hermano de doble vínculo recibirá 240.000 euros, los sobrinos percibirán 120.000 euros cada uno (240.000 euros entre los dos) y el medio hermano recibirá 120.000 euros (la mitad que el de doble vínculo).

4. Una persona, X, fallece sin testamento y sin descendientes, ascendientes ni cónyuge. Sus hermanos murieron antes que él y solo tiene varios sobrinos:

- A1 y A2, hijos de un hermano de doble vínculo.
- B1, B2 y B3; hijos de una hermana que también lo era de doble vínculo.

¿Cómo le sucederán?

En la medida en que los sobrinos concurren solos a la herencia del causante, sin ningún tío o tía sobreviviente, heredarán por partes iguales. Por lo tanto, habría que dividir la herencia en cinco partes y cada sobrino tendría derecho a una de ellas.

La declaración de herederos *ab intestato*

En la sucesión intestada será necesario el otorgamiento de un **documento público en el que se determine, de conformidad con la legislación civil que resulte de aplicación, quiénes son los herederos del causante y en qué proporciones**, a cuyo fin aquellas personas que se consideren con derecho a la herencia deberán instar el oportuno procedimiento. Dicho documento es la denominada declaración de herederos *ab intestato*.

Desde el año 2015, este procedimiento **solo puede tramitarse ante notario** y se encuentra regulado en los artículos 55 y 56 de la Ley del Notariado de 28 de mayo de 1862.

Las personas que se consideren con derecho a suceder *ab intestato* a una persona fallecida y sean sus descendientes, ascendientes, cónyuge o pareja de hecho, o sus parientes colaterales, podrán instar la declaración de herederos *ab intestato*. Esta se tramitará en acta de notoriedad autorizada por el notario competente para actuar en el lugar en el que el causante hubiese tenido su último domicilio o residencia habitual, en el lugar donde estuviese la mayor parte de su patrimonio o en aquel en el que se hubiese producido el fallecimiento del causante, siempre que estuvieran en España, a elección de solicitante. También podrá elegir al notario de un distrito colindante a los anteriores. A falta de todos ellos, será competente el notario del lugar del domicilio del requirente.

El acta se iniciará a requerimiento de cualquier persona que a juicio del notario tenga interés legítimo y su tramitación se realizará conforme a la normativa notarial. Dicho requerimiento para la iniciación del acta tendrá que contener la designación y los datos identificativos de las personas que el solicitante considere llamadas a la herencia e ir acompañado de los documentos acreditativos del parentesco con el fallecido de los designados como herederos, así como de la identidad y domicilio del causante. Además, en todo caso, será necesario acreditar el fallecimiento del causante y que el mismo se produjo sin testamento.

CUESTIÓN

¿Cómo podrá acreditarse que no existe testamento de cara a la iniciación del procedimiento para la declaración de herederos *ab intestato*?

Según indica el artículo 56.1 de la Ley del Notariado, en principio, deberá acreditarse mediante información del registro civil y del Registro General de Actos de Última Voluntad; en su caso, a través de documento auténtico del que resulte indubitadamente (a juicio del notario), que, a pesar de la existencia de testamento o contrato sucesorio, procede la sucesión intestada; o bien mediante sentencia firme que declare la invalidez del título sucesorio o de la institución de heredero. Los documentos que se presenten o su testimonio quedarán incorporados al acta.

Destino de los animales de compañía del causante

Desde el 5 de enero de 2022, el artículo 914 bis del CC incorpora una previsión en relación con el destino de los animales de compañía del fallecido cuando este no haya especificado nada en su testamento.

Así, **en defecto de disposición testamentaria** referida a los animales de compañía propiedad del causante, estos **se entregarán a los herederos o legatarios que los reclamen** de acuerdo con las leyes. En el caso de que no fuera posible hacerlo de inmediato, para garantizar el cuidado del animal y solo cuando sea necesario por falta de previsiones sobre su atención, se entregará al órgano administrativo o centro que tenga encomendada la recogida de animales abandonados hasta que se resuelvan los correspondientes trámites por razón de sucesión.

Ahora bien, en algunas ocasiones la cuestión puede no ser tan simple:

- Si **ninguno de los sucesores quiere hacerse cargo** del animal de compañía, el **órgano administrativo competente podrá cederlo a un tercero** para su cuidado y protección.

- Si **más de un heredero reclama el animal de compañía** y no hay **acuerdo unánime** sobre su destino, la **autoridad judicial** decidirá el destino que le corresponda, teniendo en cuenta el bienestar del animal.

1.6. Cuestiones comunes tanto si hay testamento como si no

Generalidades previstas tanto para los casos en los que exista testamento como para aquellos en los que no exista

Hasta este punto nos hemos centrado en el estudio de las figuras directamente relacionadas con la sucesión testada o con la intestada. Sin embargo, junto a todas ellas conviven otras instituciones o reglas que resultan de aplicación con independencia de la clase de sucesión de que se trate, esto es, exista o no testamento.

Ya hemos aludido a algunas de ellas, en mayor o en menor medida, pero a continuación las veremos más en detalle. Serían, básicamente, las siguientes:

- El derecho de transmisión, de acrecer y de representación.
- El derecho de reversión y las reservas.
- La aceptación y la repudiación de la herencia. El beneficio de inventario.
- La comunidad hereditaria y la partición.

CUESTIÓN

¿Existirá alguna particularidad a la hora de tramitar la herencia cuando la viuda del causante esté embarazada?

Sí, en los casos en los que, al fallecer el causante, exista un concebido no nacido que vaya a ser llamado a la herencia, el Código Civil establece una serie de precauciones que se han de tomar para garantizar sus derechos hereditarios. Dichas normas se recogen en los artículos 958 bis y siguientes del CC, y son comunes tanto para las herencias con testamento como para las sucesiones intestadas.

Por ejemplo, la división de la herencia se suspenderá hasta que se verifique el parto o el aborto, o resulte la inexistencia de embarazo, garantizándose la seguridad y administración de los bienes hereditarios hasta entonces.

1.6.1. El derecho de transmisión, de acrecer y de representación

En este epígrafe abordaremos tres derechos cuyo único punto en común, más allá de su aplicación en la sucesión testada e intestada, es que operan en aquellos supuestos en los que la persona inicialmente llamada a la herencia no puede o no quiere recibirla.

Son el derecho de transmisión, el de acrecer y el de representación.

‖ a. El derecho de transmisión

En virtud de la delación hereditaria se atribuye a los llamados a una herencia la facultad de aceptarla o de repudiarla, el llamado *ius delationis*. Ahora bien, si esa persona que tiene derecho a aceptar o a renunciar a la herencia fallece sin haber ejercitado ese *ius delationis*, sus herederos adquirirán el mismo derecho que él tenía. Es decir, **si un heredero muere después de producida la delación de la herencia en su favor, sin aceptarla ni repudiarla, pasará a sus herederos dicho derecho**. Esto es lo que se denomina derecho de transmisión o *ius transmissionis*.

Por lo tanto, la operativa de este derecho, que se encuentra regulado en el artículo 1006 del CC, implica la concurrencia de varios sujetos:

- El primer causante o causante originario.
- El segundo causante o transmitente del *ius delationis* (heredero del causante anterior que fallece sin aceptar ni repudiar la herencia).
- El o los transmisarios, herederos del segundo causante y adquirentes del *ius delationis*.

La **aceptación de la herencia del transmitente del *ius delationis* es un presupuesto básico** para que entre en juego el derecho de transmisión, puesto que ese derecho de aceptar o repudiar la herencia del primer causante lo reciben los transmisarios como integrado dentro de la herencia del transmitente. Por ese motivo, los transmisarios no podrían aceptar la herencia del primer causante y repudiar la del segundo; pero sí al revés.

Por otra parte, el derecho de transmisión **no opera si el heredero muere antes que el testador, ni cuando sea incapaz de heredar o haya renunciado a la herencia** (tampoco, evidentemente, cuando ya hubiese aceptado).

‖ b. El derecho de acrecer

El derecho de acrecer se regula en los artículos 981 a 987 del CC y supone la **facultad de los herederos de apropiarse de la cuota de otro heredero que no haya llegado a serlo**, por no querer o no poder, de modo que el beneficiado por este derecho verá incrementada la porción hereditaria que inicialmente le correspondía a costa de la que hubiese quedado vacante.

El derecho de acrecer es una figura que opera tanto en la sucesión testada como en la intestada, pero cuyo funcionamiento varía de una a otra:

- En la **sucesión *ab intestato***, la **parte del que repudia la herencia acrecerá siempre a los coherederos**. Además, hay que tener en cuenta que, en este tipo de sucesión, existiendo varios parientes del mismo grado y no queriendo o no pudiendo heredar alguno o algunos de ellos, su parte acrecerá a los otros del mismo grado, salvo cuando proceda el derecho de representación (que veremos en el siguiente epígrafe).

- En la **sucesión testada** o testamentaria, para que tenga lugar el derecho de acrecer será necesario que **dos o más herederos sean llamados a una misma herencia o porción de ella, sin especial designación de partes, y que uno de ellos muera antes que el testador, que renuncie a la herencia o que sea incapaz de recibirla**. A estos efectos, se entenderá que la designación de los herederos se hace por partes solo si el testador determina expresamente una cuota para cada heredero. La utilización de la frase «por mitad o por partes iguales» u otras, que, aunque designen parte alícuota de la herencia, no la fijen numéricamente o por señales que hagan a cada uno dueño de un cuerpo de bienes separado, no excluirán el derecho de acrecer.

En la sucesión testamentaria, cuando no tenga lugar el derecho de acrecer, la porción vacante del instituido heredero a quien no se le hubiese designado sustituto pasará a los herederos legítimos del testador, que la recibirán con las mismas cargas y obligaciones.

En cualquier caso, los herederos a quienes acrezca la herencia sucederán en todos los derechos y obligaciones que tendría el que no quiso o no pudo recibirla.

Como particularidad, **entre los herederos forzosos**, el derecho de acrecer solo tendrá lugar cuando la parte de libre disposición se deje a dos o más de ellos, o a alguno de ellos y a un extraño. Si la parte repudiada fuese la legítima, sucederán en ella los coherederos por su derecho propio y no por el derecho de acrecer.

Por último, conviene tener presente que el derecho de acrecer no es exclusivo de los herederos, sino que **también tendrá lugar entre los legatarios y los usufructuarios**, en los mismos términos.

‖ c. El derecho de representación

El derecho de representación es aquel que **corresponde a los parientes de una persona para sucederle en todos los derechos que tendría si hubiera vivido y podido heredar**. Se regula en los artículos 924 a 929 del CC. **Opera siempre en la línea recta descendente y nunca en la ascendente. En la colateral, solo tendrá lugar a favor de los hijos de hermanos**, sean de doble vínculo o de un solo lado.

Siempre que se herede por representación, la división de la herencia se hará por estirpes, de forma que el representante o los representantes no hereden más de lo que heredaría su representado, si viviera. Ahora bien, en el caso de los sobrinos, si quedasen hijos de uno o más hermanos del difunto en concurrencia con tíos, heredarán por representación, pero si concurren sobrinos solos heredarán por partes iguales.

El derecho de representar a una persona no se pierde por haber renunciado a su herencia.

Finalmente, no podrá representarse a una persona viva fuera de los casos de desheredación o incapacidad. En esa medida, puede decirse que **el derecho de representación procederá en caso de fallecimiento del heredero legal, desheredación o incapacidad del representado**.

> **A TENER EN CUENTA**. En principio, el derecho de representación es una institución propia de la sucesión intestada, aunque, como se ha visto, también opera en la desheredación, que solo puede hacerse en testamento. De ahí que tradicionalmente se haya discutido si esta figura puede admitirse también en la sucesión testamentaria. Los pareceres de la doctrina son dispares y, por ejemplo, algunos autores la admiten en ciertos casos, pero limitada a la legítima.

CUESTIONES

1. La persona A fallece el 3 abril de 2024, viuda y bajo testamento en el que instituye herederos por partes iguales a sus dos hijos, B y C. El heredero B, por su parte, fallece el 14 de mayo de ese mismo año, sin haber aceptado ni repudiado la herencia de su padre y dejando dos hijos (B1 y B2). ¿Qué sucederá con la herencia de A?

Por lo que se refiere al heredero C, no existiría ninguna particularidad, puesto que podría aceptar o repudiar la herencia con normalidad.

En cuanto a B, la cuestión es un poco más compleja. B falleció después de su padre, una vez producida la delación de la herencia de A en su favor, pero antes de haberla aceptado o repudiado; por lo que ese mismo derecho que él tenía sobre la herencia de A (el *ius delationis*) pasará a sus hijos. Así, B1 y B2 tendrán derecho a aceptar o a repudiar la herencia de su abuelo.

2. ¿La solución sería la misma si en el supuesto de la cuestión anterior el heredero B hubiese renunciado antes de fallecer a la herencia de su padre, incluida la legítima?

En este caso, no tendría lugar el derecho de transmisión ni tampoco podría aplicarse el de representación.

Sin embargo, sí se cumplirían los requisitos para aplicar el derecho de acrecer en la sucesión testada: había dos herederos llamados a la misma herencia, sin especial designación de partes, y uno de ellos renunció a ella. Por lo tanto, la parte que correspondía a B acrecerá o incrementará la de su hermano C, sin que los hijos de B perciban nada.

3. Un causante fallece sin testamento, dejando un hijo que le sobrevive y dos nietos, A y B, descendientes de otra hija que murió antes que el causante. ¿Quiénes heredarán sus bienes y en qué proporción?

En este caso, operaría el derecho de representación, de modo que A y B heredarán la parte que inicialmente correspondía a su madre. La herencia del causante se dividiría, por tanto, por estirpes; es decir, en dos partes iguales: una primera para el hijo sobreviviente y otra para los nietos (que se la repartirían por mitad).

4. Una persona soltera fallece bajo testamento en el que, en ausencia de personas con derecho a legítima, instituye como herederos a sus dos sobrinos (X e Y) por partes iguales. Poco después, muere X, sin haber aceptado ni repudiado la herencia de su tío, así que el *ius delationis* que tenía con respecto a ella pasa a su propio heredero (el único hijo de X).

El hijo de X acepta ambas herencias: la de su padre y la del tío de este. ¿Cómo tendrá que liquidar el ISD?

La jurisprudencia del Tribunal Supremo considera que en casos como este se produce una sola adquisición hereditaria y, por tanto, solo existiría un hecho imponible a efectos del ISD. Los herederos transmisarios (adquirentes del *ius delationis*) sucederían directamente al primer causante; pero, una vez ejercitado el *ius delationis* y aceptada su herencia, se producirían dos sucesiones diferentes (una sobre los bienes del causante y otra sobre los del transmitente), que tendrían su reflejo en el ámbito tributario.

En esa medida, el transmisario tendría que presentar:

La liquidación del impuesto por los bienes que reciba del primer causante, aplicando las reducciones, coeficientes multiplicadores y bonificaciones que correspondan por el parentesco entre dicho primer causante y el transmisario.

La liquidación del impuesto por los demás bienes que reciba del segundo causante, de los que era titular ese segundo causante y no el primero, teniéndose en cuenta el parentesco entre el segundo causante y el transmisario.

En este sentido, puede consultarse la **sentencia del Tribunal Supremo n.º 936/2018, de 5 de junio de 2018, ECLI:ES:TS:2018:2183**.

5. En el caso anterior, ¿el plazo de prescripción del que dispone la Administración para liquidar el ISD (por ejemplo, si el interesado no presenta el impuesto) se cuenta desde el fallecimiento del primer o del segundo causante?

Según ha señalado el Tribunal Supremo, el inicio del plazo de prescripción del derecho de la Administración a liquidar el ISD en aquellos supuestos de adquisiciones por causa de muerte en los que el heredero fallece sin aceptar ni repudiar la herencia y el derecho se transmite a sus herederos, que son quienes aceptan y adquieren la condición de sujetos pasivos del impuesto, es el momento del fallecimiento del transmitente (**sentencia del Tribunal Supremo n.º 684/2024, de 23 de abril, ECLI:ES:TS:2024:2437**).

1.6.2. El derecho de reversión y las reservas

El derecho de reversión y las reservas son dos instituciones por medio de las cuales la ley determina el destino que necesariamente han de seguir ciertos bienes de la herencia y que resultan de aplicación tanto en la sucesión testada como en la intestada.

|| a. El derecho de reversión

El derecho de reversión se regula en el artículo 812 del CC, que determina que **los ascendientes suceden con exclusión de otras personas en las cosas dadas por ellos a sus hijos o descendientes muertos sin posteridad**, cuando los mismos objetos donados existan en la sucesión. En el caso de que hubieran sido enajenados, sucederán en todas las acciones que el donatario (el beneficiario de la donación) tuviera con relación a ellos y en el precio si se hubiesen vendido, o bien en los bienes con que se hubieran sustituido en caso de permuta o cambio.

La sucesión que implica **el derecho de reversión tiene un carácter especial y opera con independencia de la sucesión general** que se produce sobre el resto de los bienes de la herencia. En esa medida, si el ascendiente favorecido por ella también es legitimario, tendrá derecho a su legítima y, además, a la reversión.

Sus requisitos básicos son:

- La donación de un bien del ascendiente al descendiente.
- El fallecimiento del descendiente sin posteridad (sin descendencia).
- La subsistencia de los mismos bienes donados en la herencia del descendiente o bien de su valor o de los bienes obtenidos en reemplazo si el donatario los hubiera transmitido.

|| b. Las reservas hereditarias

Las reservas hereditarias constituyen una limitación a la libertad del testador de distribuir sus bienes como desee, puesto que la legislación específica el destino que han de seguir algunos de los que integran la herencia, a fin de que se adquieran por determinados miembros de la familia de la que proceden.

En el Código Civil se contemplan **dos tipos de reservas**: la lineal, troncal o familiar (prevista en el artículo 811 del CC) y la ordinaria, vidual o clásica (regulada en los artículos 968 y siguientes del CC).

Pasemos a verlas.

| La reserva lineal, troncal o familiar

Esta reserva supone que **el ascendiente que herede de su descendiente bienes que este hubiese adquirido por título lucrativo de otro ascendiente, o de un hermano, esté obligado a reservar los que hubiera adquirido por ministerio de la ley en favor de los parientes que estén dentro del tercer grado y pertenezcan a la línea de donde los bienes proceden.** Al ascendiente que está obligado a reservar se le denomina **reservista** y las personas en cuyo favor debe realizarse la reserva (los parientes que estén dentro del tercer grado y formen parte de la línea de la que proceden los bienes) son los **reservatarios.**

La razón de ser de esta figura es evitar que, por el azar de la muerte prematura del padre o de la madre y de alguno de los hijos, se desvíen de la línea familiar de procedencia ciertos bienes heredados por ministerio de la ley por un ascendiente, de un descendiente que, a su vez, los hubiese adquirido a título gratuito de otro ascendiente o de un hermano.

La reserva lineal está regulada por el Código Civil de forma muy escueta, por lo que pueden plantearse ciertas dudas a la hora de determinar con exactitud qué personas serán reservatarias. Por ese motivo, el Tribunal Supremo ha señalado que tendrá que tratarse de parientes que estén dentro del tercer grado, computado desde el descendiente fallecido que con su muerte origina la obligación de reservar y prevaleciendo los de grado más próximo conforme a las reglas de la sucesión intestada. Además, tendrán que existir al tiempo de fallecer el reservista.

Por lo demás, para que opere esta reserva deben producirse dos transmisiones: una primera, a título lucrativo (por herencia, legado o donación), y una segunda, producida por ministerio de la ley (que comprendería lo adquirido en virtud de sucesión intestada o la porción de legítima si existe testamento).

| La reserva ordinaria, vidual o clásica

Además de lo señalado con respecto a la reserva lineal, **el viudo o viuda que pase a segundo matrimonio estará obligado a reservar a los hijos y descendientes del primero la propiedad de todos los bienes que haya adquirido de su difunto consorte por testamento, sucesión intestada, donación u otro cualquier título lucrativo**; pero no su mitad de gananciales. Quedarán sujetos a esta reserva los bienes que, por los títulos expresados, haya adquirido el viudo o viuda de cualquiera de los hijos de su primer matrimonio y los que haya obtenido de los parientes del difunto por consideración a este.

Además, esta obligación de reservar también será aplicable al **viudo que durante el matrimonio haya tenido, o en estado de viudez tenga un hijo no matrimonial**, y a aquel que **adopte a otra persona**, salvo en el caso de que el adoptado sea hijo del consorte de quien descienden los que serían reservatarios. En cada uno de los casos, el deber de reservar surtirá efecto desde el nacimiento o la adopción del hijo, respectivamente.

A pesar de la obligación de reservar, el padre o la madre que se hayan casado por segunda vez podrán mejorar en los bienes reservables a cualquiera de los hijos o descendientes del primer matrimonio. En el caso de que no hagan uso de esta facultad en todo en o en parte, los hijos y descendientes del primer matrimonio sucederán en los bienes sujetos a reserva conforme a las reglas establecidas para la sucesión en línea descendente, aunque en virtud de testamento hubiesen heredado desigualmente al cónyuge premuerto o hubiesen repudiado su herencia. El hijo desheredado justamente por el padre o por la madre perderá todo derecho a la reserva, pero, si tuviese hijos o descendientes, estos ocuparán su lugar y conservarán los derechos de herederos forzosos respecto a la legítima.

Las enajenaciones de bienes inmuebles reservables que hubiese realizado el cónyuge sobreviviente antes de celebrar segundo matrimonio serán válidas, con la obligación, desde que lo celebre, de asegurar el valor de aquellos a los hijos y descendientes del primer matrimonio; pero las hechas tras casarse de nuevo solo subsistirán si a su muerte no quedan hijos ni descendientes del primer matrimonio, sin perjuicio de lo previsto en la legislación hipotecaria. Por su parte, las enajenaciones de bienes muebles realizadas antes o después de contraer segundo matrimonio serán válidas, quedando siempre a salvo la obligación de indemnizar.

Por lo que se refiere a las **obligaciones del reservista**, el viudo o viuda, al repetir matrimonio, hará inventariar todos los bienes sujetos a reserva, anotará en el registro de la propiedad la calidad de reservables de los inmuebles y tasará los muebles. Además, también tendrá que asegurar con hipoteca:

COMO DECLARAR TU HERENCIA

- La restitución de los bienes muebles no enajenados en el estado que tuviesen al tiempo de su muerte.

- El abono de los deterioros ocasionados o que se ocasionasen por su culpa o negligencia.

- La devolución del precio que hubiese recibido por los muebles enajenados o la entrega del valor que tenían al tiempo de la enajenación, si se hubiese hecho a título gratuito.

- El valor de los inmuebles válidamente enajenados.

Esta obligación de reservar se aplicará, además de en caso de segundo matrimonio, también en el del tercero y siguientes.

Por último, conviene apuntar que el deber de reservar cesará cuando los hijos de un matrimonio, mayores de edad y con derecho a los bienes, renuncien expresamente a él; cuando se trate de cosas dadas o dejadas por los hijos a su padre o a su madre sabiendo que estaban segunda vez casados; y si, al morir el padre o la madre que contrajo nuevo matrimonio, no existen hijos ni descendientes del anterior.

CUESTIONES

1. ¿Qué sucede si con respecto a unos mismos bienes y a un mismo reservista (persona obligada a reservar) colisionan ambas reservas, de modo que, en virtud de una y de otra, los reservatarios o destinatarios de los bienes sean diferentes sujetos?

El Tribunal Supremo ha señalado que, en caso de colisión de ambas reservas en la persona de un mismo reservista y respecto de unos mismos bienes, pero con distintos reservatarios, debe prevalecer la reserva ordinaria o vidual que regulan los artículos 968 y siguientes del CC sobre la reserva lineal del artículo 811 del CC. Así, si quedan hijos o descendientes del primer matrimonio del ascendiente reservista, se desvanecería o quedaría inoperante la otra reserva que pudiesen pretender los parientes del tercer grado en virtud del artículo 811 del CC.

En este sentido se pronuncia, por ejemplo, la **sentencia del Tribunal Supremo n.º 534/2008, de 5 de junio de 2008, ECLI:ES:TS:2008:2725**.

2. «A» fallece en Madrid, en estado de casado con «B», y, en pago de su legítima, lega un inmueble en la playa a su hijo «C». Posteriormente, «C» fallece de manera prematura y sin haber otorgado testamento. No tiene cónyuge ni hijos o descendientes, por lo que se abre la sucesión intestada y su madre («B») hereda todos los bienes de «C», incluido el inmueble en la playa.

Tras un tiempo, «B» empieza a convivir con una nueva pareja. No tiene otros hijos ni tampoco le sobrevive ningún ascendiente, por lo que, en ausencia de herederos forzosos, se pregunta si su pareja podrá heredar todos sus bienes o si existirá alguna limitación al respecto.

Se dan los presupuestos para que opere la reserva lineal o troncal regulada en el artículo 811 del CC, de modo que «B» tendría obligación de reservar el inmueble en la playa que recibió por sucesión intestada de su hijo, quien a su vez lo había heredado de su padre (cónyuge premuerto de «B»). En particular, tendría que reservarlo en favor de los parientes de su hijo que estén dentro del tercer grado y que pertenezcan a la misma línea paterna de la que él obtuvo el bien. Por ejemplo, tendría que reservarlo en favor de sus anteriores suegros (los padres de «A») o de un hermano de «A» que le sobreviva.

3. «A» y «B» se casaron en el año 1995 y tuvieron dos hijos. «B», que tenía un gran patrimonio, falleció en el año 2012, dejando una valiosa colección privativa de cuadros a su viudo. «A» volvió a casarse de nuevo en 2015 y de dicho segundo matrimonio tuvo otro hijo.

«A» fallece en el año 2024, bajo testamento en el que lega unas fincas a sus dos primeros hijos en pago de su legítima estricta, mejorando a su hijo más pequeño, a quien deja todo lo demás de su herencia.

Los dos hijos mayores de «A» se preguntan si tendrían derecho a algo más en la herencia de su padre, habida cuenta del gran valor que en ella representan los cuadros recibidos de su primera cónyuge.

En este supuesto entraría en juego la reserva ordinaria o vidual que se regula en los artículos 968 y siguientes del CC. En su virtud, el viudo, al contraer nuevo matrimonio, estaría obligado a reservar en favor de los hijos habidos del primero la propiedad de todos aquellos bienes que hubiese adquirido de su primera esposa por herencia, donación u otro título lucrativo, aunque no su mitad de gananciales.

Por lo tanto, y como mínimo, tendría que reservar en favor de los dos hijos mayores la colección de cuadros que recibió por testamento de su primera esposa, junto con todos aquellos otros bienes que de ella hubiese heredado o recibido por donación; excluida su mitad de gananciales.

1.6.3. La aceptación y la repudiación de la herencia. El beneficio de inventario

A través de la delación hereditaria se ofrece la herencia a quienes tengan derecho a ella, que podrán aceptarla o repudiarla. En principio, esta facultad de aceptar o repudiar se suele predicar de los herederos, puesto que el legatario de una cosa cierta y determinada adquiere su propiedad desde que el causante muere, sin necesidad de aceptación, aunque sí tiene derecho a renunciar a él.

La aceptación y la repudiación de la herencia se regulan en los artículos 988 a 1009 del CC. Ambos **son actos enteramente voluntarios y libres, cuyos efectos se retrotraen siempre al momento de la muerte del causante**. No podrán realizarse en parte, a plazo ni condicionalmente; y, además, nadie podrá aceptar ni repudiar sin estar cierto de la muerte de la persona a quien haya de heredar y de su derecho a la herencia.

Por lo que se refiere a la **capacidad** necesaria para aceptar o repudiar una herencia, el Código Civil exige la **libre disposición de los bienes**. En el caso de herencias dejadas a asociaciones, corporaciones o fundaciones que sean capaces para adquirirla, la aceptación podrá realizarse por sus legítimos representantes, pero para repudiarla necesitarán aprobación judicial. Los establecimientos públicos oficiales, por su parte, no podrán aceptar ni repudiar una herencia sin la aprobación del gobierno. Las personas con discapacidad podrán aceptar una herencia, salvo que resulte otra cosa de las medidas de apoyo establecidas.

Una vez hechas, la aceptación y la repudiación de la herencia **son irrevocables y no podrán ser impugnadas, salvo que adoleciesen de alguno de**

los vicios que anulan el consentimiento o que apareciese un testamento desconocido. Serían vicios que permitirían impugnar la aceptación o repudiación, por ejemplo, el hecho de que se hubiesen efectuado por error o mediando violencia o intimidación.

Cualquier interesado que acredite su interés en que el heredero acepte o repudie la herencia podrá acudir al notario para que este comunique al llamado que tiene un plazo de 30 días naturales para aceptar pura o simplemente, o a beneficio de inventario, o para repudiar la herencia. Además, el notario le indicará que si no manifiesta su voluntad en dicho plazo se entenderá aceptada la herencia pura y simplemente. Sin embargo, hasta pasados nueve días después de la muerte del causante no se podrá intentar acción contra el heredero para que acepte o repudie.

|| La aceptación de la herencia

La aceptación de la herencia es aquel acto por medio del cual la persona llamada a la herencia, y a cuyo favor se ha producido la delación hereditaria, manifiesta su voluntad de adquirir la condición de heredero.

La herencia puede ser aceptada pura y simplemente, o bien a beneficio de inventario.

| La aceptación pura y simple

Cuando la herencia se acepta pura y simplemente, **el heredero responde de las deudas y cargas de la herencia de manera ilimitada**, es decir, tanto con los bienes que integran la herencia como con los suyos propios.

En caso de aceptación pura y simple de una herencia por parte de una persona casada, sin que concurra su cónyuge prestando su consentimiento a esa aceptación, los bienes de la sociedad conyugal (gananciales) no responderán de las deudas hereditarias.

A su vez, la aceptación pura y simple puede ser expresa o tácita. Será **expresa** cuando se haga en documento público o privado y **tácita** cuando se desprenda de actos que necesariamente suponen la voluntad de aceptar o que no habría derecho a ejecutar sino teniendo la cualidad de heredero. Conforme al artículo 1000 del CC, se entiende aceptada tácitamente la herencia:

- Cuando el heredero vende, dona o cede su derecho a un extraño, a todos sus coherederos o a alguno de ellos.
- Cuando el heredero la renuncia, aunque sea gratuitamente, a beneficio de uno o más de sus coherederos.
- Cuando la renuncia por precio a favor de todos sus coherederos indistintamente; pero, si esta renuncia fuese gratuita y los coherederos a cuyo favor se haga son aquellos a quienes debe acrecer la porción renunciada, no se entenderá aceptada la herencia.

Sin embargo, los actos de mera conservación o administración provisional no implican la aceptación de la herencia, si con ellos no se ha tomado el título o la cualidad de heredero.

| La aceptación a beneficio de inventario

Todo heredero puede aceptar la herencia a beneficio de inventario, aunque el testador se lo haya prohibido. De este modo, **su responsabilidad por las deudas y cargas de la herencia se limitará a los bienes hereditarios**, sin que los suyos propios queden comprometidos. Además, **conserva contra el caudal hereditario todos los derechos y acciones que tuviese contra el difunto** y no se confundirán para ningún efecto, en su perjuicio, sus bienes particulares con los que pertenezcan a la herencia.

La **declaración de hacer uso del beneficio de inventario tendrá que hacerse ante notario** o, en caso de estar el heredero en el extranjero, ante el agente diplomático o consular de España habilitado para ejercer funciones de notario en el lugar del otorgamiento. Además, para que produzca efectos, dicha declaración tendrá que ir precedida o seguida de un inventario fiel y exacto de todos los bienes de la herencia, hecho con las formalidades que especifica el Código Civil y dentro de ciertos **plazos:**

- El heredero que tenga en su poder la herencia o parte de ella y quiera utilizar el beneficio de inventario, deberá comunicarlo ante notario y pedir en el plazo de 30 días, a contar desde aquel en que supiese que era heredero, la formación de inventario notarial con citación a los acreedores y legatarios para que acudan a presenciarlo si tienen interés en ello.

- En el caso del heredero que no tenga en su poder la herencia o parte de ella, ni haya practicado ninguna gestión como tal heredero, ese plazo de 30 días se contará desde el día siguiente a aquel en el que expire el plazo que se le hubiese fijado para aceptar o repudiar la herencia o desde que la hubiese aceptado o gestionado como heredero.

- Fuera de los casos anteriores, si no se hubiese presentado ninguna demanda contra el heredero, este podrá aceptar a beneficio de inventario mientras no prescriba la acción para reclamar la herencia.

Además, la ley fija unos plazos y formalidades que se han de respetar para la formación del inventario, cuyo incumplimiento por culpa o negligencia del heredero supondrá que se entienda que ha aceptado la herencia pura y simplemente.

Como excepción, conviene tener en cuenta que aquel que reclame judicialmente una herencia de la que otro se encuentre en posesión por más de un año, si vence en el juicio, no tendrá obligación de hacer inventario para gozar de este beneficio y solo responderá de las cargas de la herencia con los bienes que se le entreguen.

El heredero **perderá el beneficio de inventario:**

- Si, a sabiendas, deja de incluir en el inventario alguno de los bienes, derechos o acciones de la herencia.

- Si, antes de completar el pago de las deudas y legados, enajena bienes de la herencia sin autorización de todos los interesados, o no da al precio de lo vendido la aplicación determinada al concederle la autorización. No obstante, podrá disponer de valores negociables que coticen en un mercado secundario a través de la enajenación en dicho mercado, y de los demás bienes mediante su venta en subasta pública notarial previamente notificada a todos los interesados, especificando en ambos casos la aplicación que se dará al precio obtenido.

Estrechamente ligado con el beneficio de inventario se encuentra el **derecho de deliberar**. Y es que todo heredero podrá pedir la formación de inventario antes de aceptar o repudiar la herencia, para deliberar sobre ese punto. El uso de esta facultad estará sujeto a los mismos plazos apuntados para el beneficio de inventario y su ejercicio supondrá que el heredero tenga que manifestar al notario, dentro de los 30 días contados desde el siguiente a aquel en el que se hubiese concluido el inventario, si repudia o acepta la herencia y si hace uso o no del beneficio de inventario. Una vez pasados los 30 días sin hacer dicha manifestación, se entenderá que la acepta pura y simplemente. En el caso de que el heredero repudiase la herencia, el inventario efectuado aprovechará a los siguientes llamados, contándose respecto de ellos el plazo para deliberar y para aceptar o repudiar desde el día siguiente a aquel en el que conocieron la repudiación.

‖ La repudiación de la herencia

La repudiación o renuncia es aquel acto por medio del cual el llamado a la sucesión manifiesta formalmente su voluntad de rehusar la herencia. Dicha repudiación deberá hacerse en instrumento público ante notario.

Si el heredero **repudia la herencia en perjuicio de sus propios acreedores, estos podrán pedir al juez que los autorice para aceptarla en nombre de aquel**. Esta aceptación solo aprovechará a los acreedores en cuanto baste a cubrir el importe de sus créditos; el exceso, si lo hubiera, no pertenecerá en ningún caso al renunciante, sino que se adjudicará a las personas a quienes corresponda.

Los herederos que hayan sustraído u ocultado algunos efectos de la herencia pierden la facultad de renunciar a ella y quedan con el carácter de herederos puros y simples, sin perjuicio de las penas en las que hayan podido incurrir por esos actos.

El que es **llamado a una misma herencia por testamento y *ab intestato***, y la repudia por el primer título, se entiende que la ha repudiado por los dos. Ahora bien, si la repudia como heredero *ab intestato* y sin noticia de su título testamentario, todavía podrá aceptarla por este.

> **A TENER EN CUENTA**. Cuando fuesen varios los llamados a la herencia, unos podrán aceptarla y otros repudiarla. De la misma libertad gozará cada uno de ellos para aceptarla pura y simplemente o a beneficio de inventario.

‖ Referencia a la aceptación y la repudiación de los legados

Conforme al artículo 881 del CC, el legatario adquiere derecho a los legados puros y simples (sin condiciones) desde la muerte del testador y desde ese mismo momento lo transmite a sus herederos. Por ese motivo, **con carácter general suele afirmarse que los legados se adquieren automáticamente con la apertura de la sucesión, sin necesidad de aceptación, aunque**

sin perjuicio de que el legatario pueda repudiarlos si así lo desea. Como excepción, en aquellos casos en los que el testador ha impuesto alguna condición o término al legado, el bien legado no pasará al legatario hasta que se cumpla la condición o término.

Ahora bien, a pesar de que, con carácter general, el legatario adquiera la propiedad de la cosa legada desde la muerte del testador, no podrá ocuparla por su propia autoridad, sino que tendrá que pedir que se le entregue su posesión al heredero o al albacea (si este último está facultado para ello).

Siendo posible, por tanto, que el legatario repudie el legado, el Código Civil establece algunas normas a dicho respecto (artículo 889 y 890 del CC):

- El legatario no podrá aceptar una parte del legado y repudiar la otra, si esta fuese onerosa. Ahora bien, si muriese antes de aceptar el legado dejando varios herederos, podrá uno de estos aceptar y otro repudiar la parte que le corresponda en el legado.

- El legatario de dos legados, de los que uno fuera oneroso, no podrá renunciar a este y aceptar el otro. Si los dos son onerosos o gratuitos, es libre para aceptarlos todos o repudiar el que quiera.

- El heredero que sea al mismo tiempo legatario podrá renunciar a la herencia y aceptar el legado, o renunciar a este y aceptar aquella.

Cuando el legatario no pueda o no quiera admitir el legado, o este no tenga efecto por cualquier causa, se refundirá en la masa de la herencia, fuera de los casos de sustitución y derecho de acrecer.

CUESTIONES

1. Una persona ha liquidado el Impuesto sobre Sucesiones correspondiente a la herencia de su padre, recientemente fallecido. ¿Este acto implica una aceptación tácita de la herencia?

La liquidación y el pago del impuesto por parte de un llamado a la herencia no implicarían, por sí solos, una aceptación tácita de la herencia. Se trataría de un simple acto de administración que el sujeto debe realizar para evitar una sanción. El pago del impuesto es un deber jurídico que impone la normativa tributaria y no puede entenderse que constituya un acto voluntario y libre, sino debido. En esa medida, por sí solo no bastaría para entender tácitamente aceptada la herencia. Ahora bien, sí podría servir como argumento adicional en el caso de ir acompañado de otros que realmente constituyan actuaciones que solo podrían realizarse como heredero o que revelen la intención de manifestarse como tal.

Así se viene sosteniendo por la jurisprudencia del Tribunal Supremo (véase, por ejemplo, la **STS n.º 3/1998, de 20 de enero de 1998, ECLI:ES:TS:1998:209**).

2. ¿Qué actos podrían suponer una aceptación tácita de la herencia?

A modo de ejemplo, algunos de los supuestos en los que los tribunales han entendido producida una aceptación tácita de la herencia serían los siguientes (se enumeran en la misma **sentencia del Tribunal Supremo n.º 3/1998, de 20 de enero de 1998, ECLI:ES:TS:1998:209**, ya citada en la cuestión anterior):

- La impugnación de la validez del testamento del causante, en el que se excluía a esa persona.

- La dirección del negocio que había pertenecido al causante.

– El tener ante la Administración la condición de heredero.

– El ejercicio de acciones judiciales sobre bienes hereditarios.

– La venta de bienes de la herencia.

– El cobro de créditos hereditarios.

– El pago de una deuda de la herencia con bienes hereditarios.

1.6.4. La comunidad hereditaria y la partición

Cuando varias personas son llamadas a una herencia a título universal y la aceptan, se genera una situación transitoria de comunidad hereditaria, que se mantendrá hasta la adjudicación de bienes y derechos concretos a los herederos por medio de la partición.

|| La comunidad hereditaria

La comunidad hereditaria es una **situación transitoria** que surge en el momento en el que una pluralidad de personas llamadas a una herencia como sucesores a título universal la aceptan y que se mantiene hasta que se produzca el reparto y adjudicación de los concretos bienes y derechos que la integran entre todos ellos. Así las cosas, no existirá cuando el testador atribuya bienes concretos o determinados a los distintos herederos.

Tal y como recoge el DEJ RAE puede definirse la comunidad hereditaria como una: «*Agrupación constituida por los interesados en una herencia después de que se haya procedido a su aceptación por los herederos y antes de la partición del caudal entre los mismos*».

La doctrina y la jurisprudencia han discutido acerca de la naturaleza jurídica de esta figura. Sin embargo, mayoritariamente parece considerarse que, en la comunidad hereditaria, mientras no se realice la partición, **cada coheredero solo tendrá derecho al conjunto de los bienes y derechos que integran la herencia, pero no sobre bienes concretos**. No existirá una copropiedad sobre cada una de las cosas de la herencia, sino que los distintos miembros de la comunidad hereditaria serán cotitulares del patrimonio hereditario junto con el resto.

Ningún coheredero podrá ser obligado a permanecer en la indivisión de la herencia, a menos que el testador prohíba expresamente la división. Sin embargo, aun cuando la prohíba, esta división siempre tendrá lugar por alguna de las causas por las cuales se extingue la comunidad. Así se desprende del artículo 1051 del CC.

Por lo demás, el Código Civil no regula de manera específica la comunidad hereditaria, más allá de las normas que rigen la partición hereditaria. En esa medida, resultarán de aplicación a la misma:

• Las disposiciones testamentarias y los acuerdos que adopten los coherederos.

• Las normas que regulan la partición (artículos 1051 y siguientes del CC).

- Supletoriamente, en lo no previsto en las reglas anteriores, por las normas reguladoras de la comunidad de bienes o copropiedad ordinaria (artículos 392 y siguientes del CC).

CUESTIÓN

¿Podrá existir una comunidad hereditaria si solo hay un único heredero llamado a la herencia?

No, puesto que en caso de existir un heredero único y universal no habría necesidad de partición hereditaria, ya que el testamento sería, por sí solo, título traslativo del dominio de los bienes hereditarios, al confundirse el derecho abstracto del heredero sobre el conjunto patrimonial hereditario con el derecho concreto sobre cada uno de los bienes individualizados. Así lo afirmó el Tribunal Supremo, por ejemplo, en su **sentencia n.º 157/2004, de 26 de febrero, ECLI:ES:TS:2004:1277**.

|| La partición de la herencia

La comunidad hereditaria termina, por tanto, y de forma principal, a través de la partición de la herencia, que es el **acto o negocio jurídico que extingue el estado de indivisión y la comunidad, atribuyendo bienes y derechos singulares y concretos a los coherederos**.

La partición comprende las siguientes operaciones básicas:

- **Inventario y avalúo**. El primero consiste en una **relación detallada e individualizada de todos los bienes y obligaciones** del causante, normalmente agrupados en dos categorías (bienes muebles e inmuebles). El avalúo, por su parte, es la **tasación o valoración** de los bienes, realizada normalmente por medio de peritos o árbitros.

- **Liquidación**. Se trata de una operación aritmética a través de la cual se restará el pasivo del activo para obtener el activo neto; así, una vez hechas las bajas que procedan en los bienes inventariados y sumado el importe de los bienes colacionables, **se fija el importe del caudal hereditario a dividir entre los partícipes**. Como **bajas** habrá que descontar lo resultante de la liquidación de la sociedad de gananciales (solo formarán parte de la herencia de una persona sus bienes privativos y la mitad de los gananciales) y otras deudas del difunto, cargas como los legados, gastos de enfermedad, entierro y funeral, así como los de la propia partición. La **colación** supone la aportación (no en sentido físico, sino ficticio, tan solo a través de la inclusión de su valor) a la masa hereditaria de ciertos bienes que los legitimarios habían recibido en vida del causante y a título gratuito, siempre que concurran varios herederos forzosos a la herencia; se realiza a los efectos del cálculo de la legítima, por entenderse que esos bienes recibidos por el heredero forzoso con carácter previo constituían un anticipo de la legítima. Con todo, la colación no se realizará si el causante así lo hubiese previsto expresamente o si el beneficiario repudiase la herencia, salvo que la donación por él recibida deba reducirse por perjudicar la legítima de algún heredero forzoso. Además, existen una serie de gastos hechos por los padres en vida de los hijos que la ley señala que no son colacionables, como los de alimentos, educación o curación de enfermedades, entre otros. Tampoco se entiende sujeto a colación lo dejado en testamento si el testador no dispone lo contrario, quedando en todo caso a salvo las legítimas.

- **División y adjudicación.** Por medio de la división se fija la **cuota correspondiente a cada uno de los coherederos**, en función del número de los que haya y de su posición. La adjudicación consiste en la **aplicación de los bienes hereditarios al pago de la cuota** de cada causahabiente, mediante adjudicación directa de bienes o atribución de lotes.

Todo coheredero que tenga la libre administración y disposición de sus bienes podrá pedir en cualquier tiempo la partición de la herencia. Si el coheredero está en situación de ausencia, lo harán sus representantes legales, y si contase con medidas de apoyo por razón de discapacidad, se estará a lo que se disponga en ellas. Además, cualquiera de los cónyuges puede pedir la partición de la herencia sin intervención del otro.

Ahora bien, para que los herederos puedan pedir la partición, será necesario que tengan un derecho definitivo sobre la herencia. Los herederos bajo condición no podrán pedirla hasta que la condición se cumpla; aunque sí podrán pedirla los otros coherederos, asegurando competentemente el derecho de los primeros para el caso de cumplirse la condición, y hasta saberse que la condición ha faltado o no puede ya verificarse, se entenderá que la partición es provisional. Así, por ejemplo, si el testador instituyó a una persona como heredera bajo la condición de que pague cierta cantidad de dinero a un tercero, dicha persona no podrá pedir la partición de la herencia hasta que cumpla con la condición.

En el caso de que, antes de hacerse la partición, fallezca uno de los coherederos, dejando dos o más herederos, bastará con que uno de estos pida la partición; pero todos los que intervengan en este último concepto tendrán que comparecer bajo una sola representación.

También podrán pedir judicialmente la división de la herencia, además de los herederos, los legatarios de parte alícuota, de conformidad con lo previsto en el artículo 782 de la Ley 1/2000, de 7 de enero, de Enjuiciamiento Civil. Aunque, ello, siempre que la partición no deba realizarse por un contador-partidor designado por el testador, por acuerdo entre los coherederos o por el letrado de la Administración de Justicia o el notario.

CUESTIONES

1. ¿Están sujetas a colación las donaciones realizadas por el causante, en vida, al consorte de un hijo?

No, puesto que el artículo 1040 del CC señala que no se traerán a colación las donaciones hechas al cónyuge del hijo. Ahora bien, si se hubiesen hecho por el padre conjuntamente a los dos, al hijo y a su consorte, el hijo sí estará obligado a colacionar la mitad de la cosa donada.

2. ¿Los gastos de aprendizaje o los hechos por los padres para cubrir las necesidades especiales de sus hijos con discapacidad están sujetos a colación?

No. Conforme al artículo 1041 del CC, no son colacionables los gastos de alimentos, educación, curación de enfermedades, aunque sean extraordinarias, aprendizaje, ni los regalos de costumbre. Tampoco estarán sujetos a colación los gastos realizados por los progenitores y los ascendientes para cubrir las necesidades especiales de sus hijos o descendientes requeridas por su situación de discapacidad.

3. ¿Y los gastos en los que haya incurrido un padre o madre para dar a su hijo una carrera profesional?

Los gastos que un padre o una madre haya hecho para dar a sus hijos una carrera profesional o artística solo se traerán a colación cuando el progenitor lo disponga o cuando perjudiquen a la legítima. Cuando proceda colacionarlos, se rebajará de ellos lo que el hijo habría gastado viviendo en la casa y compañía de sus padres.

4. ¿Tendrán que colacionar algo los nietos que hereden al abuelo en representación de su padre fallecido?

Sí, cuando los nietos sucedan al abuelo en representación del padre, concurriendo con sus tíos o primos, colacionarán todo lo que debiera colacionar el padre si viviera, aunque no lo hayan heredado. También colacionarán lo que hubiesen recibido del causante de la herencia durante la vida de este, a menos que el testador hubiera dispuesto lo contrario, en cuyo caso deberá respetarse su voluntad si no perjudicare a la legítima de los coherederos. Así lo indica el artículo 1038 del CC.

5. ¿La partición de un causante casado en régimen de gananciales se realiza de la misma forma que la de una persona soltera?

Cuando el causante estuviese casado en régimen de gananciales será necesario que, como paso previo a la realización de las operaciones ordinarias de partición, se proceda a la liquidación de la sociedad de gananciales. La sociedad de gananciales se caracteriza por el hecho de que los bienes de los cónyuges pueden ser privativos (de propiedad exclusiva de uno de ellos, por ejemplo, por haberlos adquirido por herencia o antes de casarse) o gananciales (son los bienes del matrimonio, comunes, como los obtenidos por el trabajo de cualquiera de los consortes o los adquiridos con dinero común del matrimonio).

Así, antes de realizar las operaciones particionales propiamente dichas, comunes a las que se realizarían si el causante estuviera soltero, habrá que determinar qué bienes corresponden a cada uno de los cónyuges privativamente y cuáles otros tenían el carácter de gananciales. No en vano, solo formarán parte de la herencia del fallecido los suyos privativos y la mitad de los gananciales.

6. ¿Los acreedores pueden intervenir de algún modo en la partición de la herencia para salvaguardar sus derechos?

Los acreedores no podrán pedir la división judicial de la herencia, sino que para reclamar sus derechos tendrán que entablar las acciones judiciales ordinarias que les correspondan contra la herencia, la comunidad de herederos o los coherederos. No tendrán obligación de esperar a la partición de la herencia para poder exigir el pago de sus deudas o la responsabilidad que estimen oportuna.

A los acreedores, tanto de la herencia como de los coherederos, se les reconocen ciertas facultades en relación con la partición hereditaria:

- Los acreedores de los coherederos podrán intervenir a su costa en la partición para evitar que se haga en fraude o perjuicio de sus derechos (artículo 1083 del CC).

- Los acreedores de la herencia reconocidos como tales podrán oponerse a que se lleve a efecto la partición hasta que se les pague o afiance el importe de sus créditos (artículo 1082 del CC).

Por otra parte, una vez hecha la partición, los acreedores de la herencia podrán exigir el pago de sus deudas por entero de cualquiera de los herederos que no hubiese aceptado la herencia a beneficio de inventario o hasta donde alcance su porción hereditaria si la hubiese aceptado con dicho beneficio. En ambos casos, el demandado tendrá derecho a hacer citar y emplazar a sus coherederos, a menos que por disposición del testador o como consecuencia de la partición hubiese quedado él solo obligado al pago de la deuda (artículo 1084 del CC).

7. ¿Qué puede hacer el coheredero que, a su vez, sea acreedor del difunto para cobrar su crédito?

Conforme al artículo 1087 del CC, el coheredero que sea acreedor del difunto podrá reclamar de los otros coherederos el pago de su crédito, deducida su parte proporcional como tal coheredero, y sin perjuicio de las normas que rigen el pago de las deudas hereditarias.

‖ Clases o tipos de partición

La partición hereditaria puede realizarse de varias formas, lo que permite distinguir **varios tipos de partición**: judicial, extrajudicial (que, a su vez, podrá ser realizada por el propio testador, por comisario o contador partidor testamentario, por los coherederos o por contador partidor dativo) o arbitral.

‖ a. La partición judicial

La partición judicial de la herencia tendrá lugar **cuando el testador no la haya realizado ni tampoco haya nombrado a contador partidor, así como cuando no exista acuerdo entre los coherederos** para la distribución del caudal relicto. El procedimiento para llevarla a cabo se regula en los artículos 782 y siguientes de la Ley 1/2000, de 7 de enero, de Enjuiciamiento Civil.

Será competente para tramitarla el tribunal del lugar del último domicilio del causante o, si estuviese en el extranjero, el de su último domicilio en España, o donde estuviera la mayor parte de sus bienes, a elección del demandante. Cualquier coheredero o legatario de parte alícuota estará legitimado para instar la división judicial. No así los acreedores, aunque los de la herencia podrán oponerse a que se practique la partición hasta que se les pague o afiance el importe de sus créditos. Además, los acreedores de uno o más coherederos, podrán intervenir en la partición a su costa para evitar que se efectúe en fraude o perjuicio de sus derechos.

Por otra parte, la **acción para pedir la división judicial de la herencia es imprescriptible**.

Solicitada la división judicial, se acordará la intervención del caudal hereditario y la formación de inventario si se hubiesen solicitado y fuesen procedentes. Se convocará a una junta, en la que se designará al contador partidor y a los peritos, por acuerdo de las partes o, en su defecto, por sorteo. Aceptado el cargo por estos, se les entregará la documentación que necesiten para efectuar las operaciones particionales, que deberán presentar en un plazo máximo de dos meses desde su inicio y que contendrán un escrito firmado por el contador con la relación de bienes hereditarios, su avalúo, liquidación, división y adjudicación a cada uno de los partícipes. Se dará traslado de ellas a las partes, que podrán oponerse a ellas (sustanciándose dicha oposición en sede judicial) o ser aprobadas. En caso de aprobación definitiva de la partición, se hará entrega de los títulos de propiedad y se procederá a su protocolización.

| **b. La partición extrajudicial**

La partición extrajudicial es aquella que se realiza sin recurrir al procedimiento judicial antes apuntado y puede revestir cuatro modalidades: hacerse por el propio testador, por comisario o contador partidor testamentario, por los coherederos o por contador partidor dativo.

1. Partición hecha por el propio testador

Según se desprende del artículo 1056 del CC, cuando el testador realice la partición de sus bienes, se pasará por ella en cuanto no perjudique la legítima de los herederos forzosos. La jurisprudencia considera que esta posibilidad **solo cabe para el causante que haya otorgado testamento**, aunque la partición podría formalizarla en dicho documento testamentario o bien en otro independiente, siempre que exista un testamento (anterior o posterior) que la confirme.

Como límites para esta modalidad de partición, el Código Civil exige que los bienes sean propiedad del testador (no siendo válida la partición hecha por el testador comprendiendo bienes gananciales, por no pertenecerle en su totalidad) y que **se respete la legítima de los herederos forzosos**. Cumplidos estos requisitos, esta partición tendrá carácter vinculante.

Así, la partición hecha por el testador **no podrá ser impugnada por causa de lesión, sino en el caso de que perjudique la legítima** de los herederos forzosos o de que **aparezca, o racionalmente se presuma, que fue otra la voluntad del testador**.

2. Partición por comisario o contador partidor testamentario

El testador puede **encomendar a cualquier persona que no sea uno de los coherederos la simple facultad de hacer la partición**. Así se recoge en el artículo 1057 del CC.

Esta sería la figura del contador partidor testamentario, que carece de una regulación específica, por lo que le resultarían de aplicación por analogía las previsiones establecidas para el albacea. Su cargo es personalísimo y voluntario, debiendo **ejercerse durante el plazo señalado por el testador y, en su defecto, en el plazo de un año** desde la aceptación del cargo o desde que terminen los litigios promovidos sobre la validez o nulidad del testamento o de alguna de sus disposiciones.

Dicho contador partidor se encargará de distribuir la herencia entre los herederos y demás beneficiarios de ella, en virtud de un mandato especial recibido del testador en atención a sus cualidades personales, por ser un cargo de confianza.

Finalmente, el cargo se extinguirá, además de por el cumplimiento de sus funciones a través de la formalización del cuaderno particional, por las mismas causas que el albaceazgo: muerte, imposibilidad, renuncia, remoción, lapso del tiempo señalado por el testador y, a falta de este, del de un año.

3. Partición realizada por los coherederos

Cuando el testador no hubiese hecho la partición, ni encomendado a otro esta facultad, si los **herederos fuesen mayores de edad y tuviesen la libre**

administración de sus bienes, podrán distribuir la herencia de la manera que tengan por conveniente (artículo 1058 del CC). Es la denominada «partición convencional».

> **A TENER EN CUENTA**. Cuando los menores estén legalmente representados en la partición, no será necesaria intervención ni autorización judicial, pero el tutor sí necesitará aprobación judicial de la ya efectuada. El defensor judicial designado para representar a un menor en una partición deberá obtener la aprobación de la autoridad judicial, si no se hubiera dispuesto otra cosa al hacer el nombramiento No será necesaria autorización ni intervención judicial en la partición realizada con el curador con facultades de representación, pero, una vez practicada, la partición requerirá aprobación judicial. Finalmente, la partición hecha por el defensor judicial designado para actuar en nombre de un menor o de una persona a cuyo favor se hayan establecido medidas de apoyo, necesitará la aprobación judicial, salvo que se hubiera dispuesto otra cosa al hacer el nombramiento.

Esta partición **podrá formalizarse en documento privado o público ante notario**. En principio, no requiere de una forma especial para su validez, aunque ello sin perjuicio de que una **escritura pública** ante notario sea la que la dote de autenticidad y permita el acceso a los registros públicos.

4. Partición por contador partidor dativo

El párrafo segundo del artículo 1057 del CC señala que, a falta de testamento, contador partidor en él designado o cuando el cargo quede vacante, el **letrado de la Administración de Justicia** (antiguo Secretario judicial) **o el notario**, a petición de herederos y legatarios que representen, al menos, el 50 % del haber hereditario, y con citación de los demás interesados, si su domicilio fuese conocido, **podrá nombrar un contador partidor dativo** conforme a lo previsto en la Ley de Enjuiciamiento Civil y en la Ley del Notariado para la designación de peritos.

Esta partición requerirá aprobación del letrado de la Administración de Justicia o del notario, salvo que sea confirmada expresamente por todos los herederos y legatarios.

| c. La partición arbitral

Esta modalidad de partición se regula en la Ley 60/2003, de 23 de diciembre, de Arbitraje, y **podrá venir impuesta en el testamento o proceder de un acuerdo unánime de los herederos** para resolver las desavenencias que existan por esa vía. En particular, y en lo relativo a la primera alternativa, el causante puede instituir en el testamento un arbitraje para solucionar las diferencias entre herederos no forzosos o legatarios por cuestiones relativas a la distribución o administración de la herencia (artículo 10 de la Ley de Arbitraje).

En el procedimiento arbitral, las partes serán tratadas con igualdad y habrán de tener la oportunidad de hacer valer sus derechos. Salvo acuerdo entre las partes, la actuación arbitral terminará mediante la emisión de un «laudo arbitral», que se dictará por escrito, tendrá que ser motivado y que estar firmado por los árbitros. Dicho laudo será notificado a las partes y podrá ser protocolizado notarialmente.

CUESTIONES

1. El propio causante de una sucesión realizó la partición de su herencia en el testamento, distribuyendo sus bienes de manera no equitativa entre los herederos forzosos. ¿Dicha partición podría ser impugnada?

El testador goza de libertad para realizar la partición de sus bienes, pudiendo, por tanto, distribuirlos de forma no equitativa, siempre que respete la legítima de los herederos forzosos.

No en vano, la partición hecha por el propio testador solo podrá impugnarse en el caso de que perjudique las legítimas de los herederos forzosos o de que aparezca, o racionalmente se presuma, que fue otra la voluntad del testador.

2. Un testador es propietario de una empresa y quiere mantenerla indivisa tras su muerte. Se está planteado hacer para ello la partición de sus bienes directamente en el testamento. ¿El Código Civil le reconoce alguna facultad para garantizar que esa empresa siga indivisa bajo control de su familia?

Sí, conforme al artículo 1056 del CC, el testador que quiera preservar indivisa una explotación económica o mantener el control de una sociedad de capital o grupo de ellas en atención a la conservación de la empresa o en interés de su familia, podrá hacer la partición de sus bienes por acto entre vivos o por última voluntad como prevé ese precepto, disponiendo que se pague en metálico su legítima a los demás interesados. A tal efecto, no será necesario que exista metálico suficiente en la herencia para el pago, siendo posible realizar el abono con efectivo de fuera de la herencia y establecer por el testador (o por el contador-partidor por él designado) aplazamiento, siempre que no supere cinco años a contar desde el fallecimiento del testador; podrá ser también de aplicación cualquier otro medio de extinción de las obligaciones. Si no se hubiera establecido la forma de pago, cualquier legitimario podrá exigir su legítima en bienes de la herencia.

Posibilidad de nulidad, rescisión o modificación de la partición efectuada

La partición legalmente hecha atribuye a cada heredero la propiedad exclusiva de los bienes que le hayan sido adjudicados. Ahora bien, en ciertos supuestos, la partición podrá ser nula, objeto de impugnación o modificada.

a. La nulidad de las particiones

El único artículo del Código Civil que se refiere a la nulidad de las particiones es el artículo 1081, que especifica que la partición en la que se hubiera incluido a una persona que se reputaba heredero sin serlo en realidad será nula. Procederá, según indica la doctrina y la jurisprudencia, en los casos en los que **falte un elemento esencial, se vulnere una norma imperativa o prohibitiva, o cuando concurra un defecto de capacidad o vicio del consentimiento** (error, dolo, violencia o intimidación).

Entre otros supuestos, el Tribunal Supremo ha entendido, por ejemplo, que es causa de nulidad el no haberse practicado, previa o simultáneamente a la partición, la liquidación de la sociedad de gananciales (**sentencia del Tribunal Supremo n.º 508/1999, de 8 de junio, ECLI:ES:TS:1999:4050**), así como la actuación del contador partidor testamentario fuera de plazo (**sentencia del Tribunal Supremo n.º 897/2006, de 18 de septiembre, ECLI:ES:TS:2006:5539**).

b. La rescisión de las particiones

La rescisión de la partición hereditaria, por el contrario, sí se regula de manera más completa, en los artículos 1073 y siguientes del CC. A diferencia de lo que sucede en los supuestos de nulidad, en los de rescisión, la partición es válida, pero se puede impugnar por determinados motivos. Por otra parte, la rescisión tiene un carácter subsidiario, por lo que solo se utilizará cuando se carezca de otro recurso legal y no siempre supone que se realice una nueva partición.

Las particiones podrán rescindirse **por las mismas causas que las obligaciones y también por causa de lesión en más de la cuarta parte atendiendo al valor de las cosas cuando fueron adjudicadas.** Es decir, un heredero podrá impugnar la partición cuando, atendido el valor de los bienes hereditarios en su conjunto y el de su lote, se le hubiese dado una cuarta parte menos de lo que le correspondía.

Con todo, la partición hecha por el causante no puede ser impugnada por causa de lesión, salvo que perjudique la legítima de los herederos forzosos o que aparezca, o racionalmente se presuma, que fue otra la voluntad del testador.

La acción para rescindir la partición podrá ejercitarse dentro de un **plazo de caducidad de cuatro años**, a contar desde que se hubiera hecho la partición, y estarán legitimados para ejercitarla los coherederos o legatarios de parte alícuota perjudicados. Ahora bien, no podrá instarla el heredero que hubiese enajenado el todo o una parte considerable de los bienes inmuebles que se le hubieran adjudicado. También podrán ejercitarla, en su caso, los acreedores por la vía del artículo 1111 del CC.

En cuanto a los efectos de la rescisión, el heredero demandado podrá optar entre indemnizar el daño causado o consentir que se proceda a nueva partición, pudiendo satisfacerse la indemnización en dinero efectivo o en la misma cosa en que resultó el perjuicio. Si se procede a nueva partición, la anterior se mantendrá para los que no hubiesen sido perjudicados ni percibido más de lo justo.

c. La modificación de las particiones

La **omisión de alguno o algunos objetos o valores de la herencia** no da lugar a que se rescinda la partición por lesión, sino a que se complete o adicione con los objetos o valores omitidos (artículo 1079 del CC).

También procederá la modificación de las particiones cuando la partición se haya efectuado con **olvido de alguno de los coherederos**. Así, la partición hecha con omisión de alguno de los herederos no se rescindirá, salvo que se pruebe que hubo mala fe o dolo por parte de los otros interesados; pero estos tendrán la obligación de pagar al preterido la parte que proporcionalmente le corresponda. Así lo prevé expresamente el artículo 1080 del CC.

Estos supuestos de modificación de las particiones son buena muestra del principio básico que rige en todo caso con respecto a las particiones hereditarias, denominado *favor partitionis*, según el cual **se habrá de evitar**

en la medida de lo posible su anulación o rescisión, de modo que en caso de existir algún error u omisión que pueda remediarse a través de su modificación, deba optarse por esta.

CUESTIÓN

A su fallecimiento, una persona soltera deja un piso destinado a vivienda, una finca destinada a plantación, un paquete de acciones y 60.000 euros en una cuenta bancaria. A falta de legitimarios, instituye herederos a sus dos hermanos, por partes iguales. Designa un contador-partidor testamentario, que se encarga de verificar la partición.

Al heredero 1 le atribuye los siguientes bienes:

- Piso destinado a vivienda, valorado en 180.000 euros.

Al heredero 2:

- Finca destinada a plantación, valorada en 20.000 euros.

- Paquete de acciones, valorado en 100.000 euros.

- Dinero de las cuentas bancarias, por importe de 60.000 euros.

El heredero 1, entendiendo que se infló artificialmente la valoración de la vivienda que se le adjudicó en beneficio del otro heredero, acude a un perito para que le elabore un informe de valoración, resultando lo siguiente:

- Piso, 105.000 euros.

- Finca destinada a plantación, 45.000 euros.

- Paquete de acciones, 100.000 euros.

- Dinero de las cuentas bancarias, 60.000 euros.

Si los valores recogidos en el informe pericial responden a la realidad, ¿podría el heredero 1 impugnar la partición efectuada por lesión en más de la cuarta parte?

Para determinar si procede la rescisión por lesión de una partición hereditaria, será necesario tomar en consideración el valor real de los bienes hereditarios en su conjunto y el que le correspondería sobre ellos al heredero, para luego compararlos con lo efectivamente percibido.

Así, según las valoraciones reales de los bienes, el caudal hereditario ascendería a 310.000 euros, de los que corresponderían 155.000 euros a cada heredero. Sin embargo, al heredero 1 en realidad solo se le adjudicó el piso, valorado en 105.000 euros, atribuyéndose el resto de los bienes al otro heredero, por un importe total de 205.000 euros.

A continuación, habría que ver si el perjuicio sufrido por el heredero 1 alcanza o no la cuarta parte. Se calcula la cuarta parte de lo que efectivamente tenía que haber recibido (que eran 155.000 euros) y obtenemos la cifra de 38.750 euros; y posteriormente se cuantifica el perjuicio sufrido, que es muy superior a esa cuarta parte (sería de 50.000 euros, resultado de restar de los 155.000 euros que tenía que recibir los 105.000 efectivamente obtenidos con la adjudicación del piso).

Por lo tanto, en el caso de que concurran el resto de los requisitos que permiten el ejercicio de la acción y de que no hayan transcurrido 4 años desde la partición, el heredero 1 podría ejercitar una acción judicial dirigida a la rescisión de la partición efectuada por lesión en más de la cuarta parte.

1.7. La sucesión contractual (pactos sucesorios o herencias en vida)

Los pactos sucesorios

La sucesión contractual es aquella que se produce de conformidad con la voluntad de la persona, manifestada, no en un testamento, sino en un contrato, denominado comúnmente pacto sucesorio o herencia en vida. Se trata de una posibilidad que, **por regla general, se prohíbe en el derecho civil común**, esto es, en la legislación estatal contenida en el Código Civil español.

No en vano, el artículo 1271 del CC especifica que sobre la herencia futura no se podrán celebrar otros contratos que no sean aquellos que tengan por objeto practicar entre vivos la división de una herencia u otras disposiciones particionales. Ahora bien, se contemplan una serie de **excepciones** a esta norma general:

- Se admiten ciertos negocios sobre la mejora (artículos 826 y 827 del CC). La promesa de mejorar o no mejorar, hecha por escritura pública en capitulaciones matrimoniales, será válida, no produciendo efecto la disposición del testador realizada en contra de la promesa. Además, se reconoce expresamente que la mejora pueda haberse realizado mediante capitulaciones matrimoniales o por contrato oneroso celebrado con un tercero.

- Se permite que los futuros esposos, por razón de matrimonio, puedan donarse bienes presentes. E, igualmente, que puedan donarse bienes futuros antes del matrimonio y en capitulaciones, solo para el caso de muerte, y en la medida que marquen las disposiciones relativas a la sucesión testada. Así se desprende del artículo 1341 del CC.

- Se prevé la posibilidad de encomendar al cónyuge la facultad de mejorar en capitulaciones matrimoniales o en testamento (artículo 831 del CC).

Al margen de todo ello, conviene tener en cuenta que **los territorios con legislación civil propia sí suelen admitir los pactos sucesorios**, regulando tipos específicos y distintos alcances para ellos. Serían los casos de Galicia, el País Vasco, Navarra, Aragón, Cataluña y las Islas Baleares (dependiendo de las islas).

2.
LA DOCUMENTACIÓN NECESARIA PARA TRAMITAR LA HERENCIA

¿Qué documentación hay que reunir para tramitar una herencia y cómo se obtiene?

Cuando fallece una persona, los bienes, derechos y obligaciones de que fuese titular y que subsistan tras su muerte pasarán a los herederos o legatarios que señale en su último testamento o, a falta de este, a los que resulten de las disposiciones legales aplicables.

A partir de ahí, los interesados en la herencia deben realizar una serie de trámites, tanto fiscales (liquidación del Impuesto sobre Sucesiones y, en su caso, de la «plusvalía municipal»), como estrictamente civiles, que culminarán en la división y adjudicación de los bienes y derechos a favor de los sucesores; momento a partir del cual estos pasarán a ser sus titulares y propietarios exclusivos.

Ahora bien, como **paso previo** para todo ello, **será necesario que se reúnan ciertos documentos relativos a la herencia, imprescindibles para efectuar los distintos trámites** que acaban de mencionarse. Básicamente, esos documentos son los siguientes:

- El certificado de defunción.
- El certificado del Registro de Actos de Última Voluntad.
- El testamento o la declaración de herederos.
- El certificado de contratos de seguros con cobertura de fallecimiento.
- La documentación relativa a los distintos bienes que integran la herencia (inmuebles, cuentas bancarias, vehículos, etc.).

Veamos a continuación en qué consiste cada uno de estos documentos y cómo puede obtenerse.

2.1. El certificado de defunción

¿Qué es el certificado de defunción y cómo solicitarlo?

El certificado de defunción es el **documento oficial que acredita el fallecimiento de una persona**.

Del mismo modo que el nacimiento de una persona se hace constar en el registro civil, también se inscribe en él su muerte. El certificado de defunción toma como base los datos que constan en dicho registro y puede revestir varias formas:

- **Certificado positivo**, acreditativo de haberse producido el fallecimiento de la persona en cuestión. Puede ser, a su vez, de dos tipos:

  » **En extracto**. Contiene un resumen de la información que sobre el fallecimiento figura en el registro civil. Puede ser ordinario (el expedido en lengua castellana para aquellas comunidades autónomas cuyo único idioma oficial sea este), bilingüe (expedido en una comunidad autónoma que tenga su propio idioma oficial, que se emitirá en dicho idioma y en castellano) o internacional o plurilingüe (dirigido a surtir efectos en los países que hayan firmado el Convenio de Viena de 8 de septiembre de 1976 y expedido en el idioma oficial de todos ellos).

  » **Literal**. Es una copia literal de la inscripción de defunción, en la que se contienen los datos de identidad del fallecido y los relativos a su fallecimiento (último domicilio, lugar del fallecimiento, fecha y hora...).

- **Certificado negativo**, si acredita que en dicho registro civil no está inscrito el fallecimiento de la persona de que se trate.

> **A TENER EN CUENTA**. El que habrá que solicitar para efectuar los distintos trámites relativos a la herencia será el certificado literal de defunción.

Este certificado literal de defunción podrá solicitarse por cualquier ciudadano que tenga interés en ello, salvo las excepciones legalmente previstas, que impiden que se dé publicidad sin autorización especial de los siguientes datos:

- La filiación adoptiva y la desconocida.
- La discapacidad y las medidas de apoyo.
- Los cambios de apellido autorizados por ser víctima de violencia de género o su descendiente, así como otros cambios de identidad legalmente autorizados.
- La rectificación del sexo.
- Las causas de privación o suspensión de la patria potestad.
- El matrimonio secreto.

- Los documentos archivados por contener los extremos citados en el apartado anterior o que estén incorporados a expedientes que tengan carácter reservado.

El certificado puede solicitarse presencialmente, por correo postal o telemáticamente.

- **Solicitud presencial.** Será necesario acudir en persona al **registro civil donde esté inscrito el fallecimiento**, aportando el DNI de la persona que lo solicite. Habrá que indicar el nombre y apellidos del fallecido, así como su fecha y lugar de defunción, además de especificar que el certificado que se quiere obtener es el literal.

- **Solicitud por correo postal.** Podrá pedirse el certificado **enviando por correo ordinario el formulario disponible en la página web del Ministerio de Justicia**, debidamente cumplimentado. Entre otros extremos, en el formulario se especificará la clase de certificado que se quiere obtener (literal), si quiere recogerse en el registro civil correspondiente o recibirse por correo postal, la finalidad para la que se solicita y los datos identificativos básicos tanto del solicitante como de la persona sobre la que se solicita la certificación. En el caso del causante, será necesario incluir, junto con el nombre, apellidos, fecha y registro civil en el que se halle inscrita la defunción, o el nombre de los progenitores o el tomo y la página.

- **Solicitud telemática.** El certificado de defunción podrá solicitarse también por vía telemática, **sin necesidad de contar con certificado digital, a través de la sede electrónica del Ministerio de Justicia**. A la hora de realizar el trámite, será necesario completar los datos de identificación del solicitante, un correo electrónico para las notificaciones y los datos identificativos de la persona fallecida, así como los de la defunción (lugar y fecha). Igualmente, como en los supuestos anteriores, será preciso especificar el tipo de certificado que se quiere obtener (literal), el número de copias y la finalidad. En caso de optar por esta vía, el certificado suele enviarse por correo ordinario al domicilio que se indique, aunque también puede optarse por recogerlo de forma personal; pero si la información está disponible por medios telemáticos, la certificación se expedirá al momento (en caso contrario, el sistema informará de que se recibirá por correo postal en la dirección indicada o sobre cómo proceder para obtenerlo).

A TENER EN CUENTA. Según indica la página web del Ministerio, no será posible realizar solicitudes telemáticas del mismo certificado hasta pasados 15 días desde la anterior, aunque dicha limitación no afecta a las solicitudes de certificados que puedan emitirse al momento.

Dado que este documento es el más básico a la hora de tramitar la herencia de una persona y que será necesario aportarlo para cualquier trámite que pretenda realizarse en relación con ella, suele recomendarse la solicitud de **tres copias**. De hecho, es frecuente que la propia funeraria lo facilite a los familiares más próximos.

CUESTIÓN

¿Cuál es el contenido del certificado de defunción?

Tal y como figura en la propia web del Ministerio de Justicia, el certificado contendrá:

– El registro que lo expide con indicación, en los municipales, del término y provincia y, en los consulares, de la población y el Estado.

– La identidad de la persona fallecida, con las menciones que aparezcan en la inscripción.

– La página y tomo del asiento, o el folio y legajo correspondiente.

– La fecha, identificación y firma de la autoridad que certifique y sello de la oficina.

2.2. El certificado de actos de última voluntad

¿Qué es el certificado de actos de última voluntad y cómo se obtiene?

El segundo documento que habrá que obtener es el certificado del Registro de Actos de Última Voluntad, comúnmente conocido como «certificado de actos de última voluntad» o, directamente, como «últimas voluntades». Se trata de un documento que **acredita si una persona ha otorgado testamento o no y, en caso de haberlo hecho, ante qué notario y en qué fecha**. Así, una vez obtenido, los herederos podrán dirigirse al notario que hubiese autorizado el último testamento para obtener una copia del mismo.

Como el certificado de defunción, es un documento básico para la realización de cualquier trámite relativo a una herencia.

Este certificado **no podrá solicitarse hasta que hayan transcurrido 15 días hábiles desde el fallecimiento**, sin contar el propio día en el que se produjo. Tampoco se contarán dentro del plazo, por tratarse de días hábiles, los sábados, domingos, ni festivos.

Estará legitimada para su solicitud **cualquier persona que presente los documentos necesarios y abone la tasa** o, en el caso de solicitud electrónica, que estén disponibles telemáticamente los datos de defunción precisos.

Al igual que en el caso del certificado de defunción, el de últimas voluntades puede obtenerse de forma presencial, por correo o telemática. Sin embargo, mientras que el certificado de defunción es gratuito, en este caso la expedición tiene un **coste de 3,86 euros**. Por ese motivo, **en los supuestos de solicitud presencial o por correo postal, será necesario que con carácter previo se efectúe el pago de la tasa a través del «Modelo 790 de tasas administrativas»**, disponible online en la sede electrónica del Ministerio de Justicia y que se puede también obtener en persona, y gratuitamente, en las Gerencias Territoriales del Ministerio de Justicia o bien en la Oficina Central de Atención al Ciudadano en Madrid. El pago del importe podrá realizarse a través del sistema de banca electrónica de alguna de las entidades financieras colaboradoras de la Agencia tributaria o acudiendo en persona para efectuar el pago en oficina. También se permite el abono a través de transferencia bancaria, solo en los casos en que se verifique desde el extranjero y siempre que la transferencia provenga de cuentas abiertas en bancos situados fuera del territorio español.

- **Solicitud presencial**

En la Comunidad de Madrid, podrá presentarse la solicitud de este certificado en la **Oficina Central de Atención al Ciudadano**. En el resto de las comunidades autónomas, habrá que acudir a las **Gerencias Territoriales del Ministerio de Justicia**.

Para el trámite, habrá que **aportar el certificado literal de defunción**, que tendrá que ser original o fotocopia compulsada, expedido por el registro civil de la localidad en la que la persona haya fallecido, y que necesariamente tendrá que especificar el nombre de los padres del fallecido. Ahora bien, en el caso de que la fecha de fallecimiento sea posterior al 2 de abril de 2009 y la defunción no esté inscrita en un juzgado de paz, no será necesario presentar el certificado de defunción, pero sí resultará imprescindible consignar el DNI o NIE del fallecido; y si carecía de NIE, el número de pasaporte o, a falta de este, otro documento de identidad del país de origen.

También habrá que aportar el modelo de **pago de la tasa** (modelo 790), debidamente cumplimentado, con la acreditación de haberse efectuado el abono. Si el pago se hizo acudiendo personalmente a la entidad financiera, se acreditará con la validación mecánica o firma autorizada de la entidad en la copia del impreso 790 correspondiente al «ejemplar para la Administración»; pero si se efectuó a través de la banca electrónica o por transferencia desde el extranjero, deberá aportarse el comprobante o justificante correspondiente.

La aportación del DNI u otro documento identificativo del causante no es estrictamente necesaria, pero recomendamos llevarlo cuando se vaya a efectuar la solicitud, al igual que el certificado de defunción, incluso en aquellos casos en los que, conforme a lo antes expuesto, no sea imprescindible. No en vano, todo ello contribuirá a facilitar la tramitación de la solicitud.

En la solicitud presencial, el certificado suele emitirse en el momento, aunque en ciertos casos puede ser necesario un período mayor, en general no superior a 3 días hábiles. En cualquier caso, el plazo que tiene la Administración para su expedición es de 10 días hábiles desde la presentación de la solicitud. El certificado podrá recogerse de este mismo modo, salvo que se indique otra vía de recepción de entre las que estén disponibles.

- **Solicitud por correo postal**

La solicitud del certificado de actos de última voluntad también podrá enviarse por correo postal a la siguiente dirección:

Registro General de Actos de Última Voluntad

Ministerio de Justicia

Plaza Jacinto Benavente, 3

28012 Madrid

Deberá aportarse, junto con la solicitud, el **certificado literal de defunción** (original o fotocopia compulsada), expedido por el registro civil correspondiente a la localidad en la que la persona haya fallecido, en el que deberá constar necesariamente el nombre de los padres del fallecido. Resultará de aplicación la misma salvedad ya apuntada en la modalidad de solicitud presencial, relativa a aquellos supuestos en los que la fecha de fallecimiento sea posterior a 2 de abril de 2009 y la defunción no esté inscrita en un juzgado de paz.

Asimismo, también habrá que acompañar el modelo 790 de **pago de la tasa** y el documento que acredite su abono, en los términos apuntados al tratar de la solicitud presencial.

La aportación del DNI u otro documento identificativo del causante, como vemos, no es estrictamente necesaria, pero una vez más recomendamos que se acompañe copia del mismo junto con el resto de la documentación, así como el certificado de defunción incluso en aquellos casos en los que no sea imprescindible.

• **Solicitud telemática**

Este certificado podrá solicitarse **a través de la sede electrónica del Ministerio de Justicia, completando el formulario y los datos** que se pidan.

En la solicitud por vía electrónica, a partir de los datos proporcionados, se comprobará la disponibilidad por medios telemáticos de la información sobre la inscripción de la defunción del causante y, si dicha información está disponible en línea, podrá completarse la solicitud. En el caso de que con los datos aportados no pudiera recuperarse la información necesaria sobre la inscripción de defunción, se mostrará un aviso en pantalla para que se verifique que los datos introducidos son correctos y, de ser así, para que se intente de nuevo con otros grupos de búsqueda. En caso de que no se encuentren los datos, tendrá que pedirse el certificado presencialmente o por correo, puesto que habrá que acompañar a la solicitud el certificado literal de defunción de la persona fallecida.

Durante el proceso de solicitud habrá que **realizar el pago telemático de la tasa**, a través de la pasarela de pagos de la Agencia Tributaria para tasas administrativas.

Habrá que guardar o imprimir los documentos justificativos del pago y del registro de la solicitud (este último se incluye un número de solicitud que luego será necesario para la descarga del certificado en formato electrónico).

Una vez que el certificado esté listo para su descarga, de lo que se avisará a través de correo electrónico en caso de haberse consignado uno en la solicitud, el interesado dispondrá de 90 días naturales para realizar la descarga. Transcurrido el plazo sin que se efectúe, será necesario volver a solicitar el certificado.

Cuando el certificado de actos de última voluntad tenga que surtir efectos en el extranjero, necesitará ser legalizado o apostillado, por lo que será necesario advertir esta circunstancia en el momento en el que se solicite su expedición.

2.3. El testamento, si existe, o la declaración de herederos a falta de él

Obtención del testamento o, en su defecto, de la declaración de herederos *ab intestato*

Una vez obtenido el certificado de actos de última voluntad, de él pueden resultar dos cosas:

- Que el causante había otorgado testamento.
- Que el causante no había otorgado testamento.

El modo de proceder en ambos supuestos es diferente. Pasemos a verlo.

‖ El causante había otorgado testamento

Si del certificado de últimas voluntades resulta que el causante había otorgado testamento, el siguiente paso será **pedir una copia autorizada de dicho testamento en el despacho del notario en el que fue otorgado**.

> **A TENER EN CUENTA**. Las copias de un testamento pueden ser «autorizadas» o «simples». Las copias simples son meros duplicados que no acreditan de forma auténtica el contenido del testamento, aunque pueden bastar para realizar ciertos trámites, como la liquidación del Impuesto sobre Sucesiones. Son menos costosas y suelen ser las que se entregan al otorgante cuando hace el testamento. Por el contrario, las copias autorizadas hacen fe plena del contenido del testamento, se expiden en papel timbrado y llevan la firma del notario, así como una pegatina azul como sello de seguridad. Su expedición se hace constar en la matriz de archivo que guarda el notario. Por ese motivo, si no se solicita de forma exclusiva para la liquidación del impuesto, quizás sea mejor obtener directamente una copia autorizada.

En vida del otorgante del testamento, solo él o una persona que cuente con un poder suyo especial podrá obtener copia del testamento. Sin embargo, una vez **fallecido el testador, tienen derecho a solicitar copia del testamento**:

- Los herederos en él instituidos, los legatarios, los albaceas, contadores partidores, administradores y demás personas a quienes se les reconozca algún derecho o facultad en el testamento.

- Las personas que, de no existir el testamento o ser nulo, serían llamadas en todo o en parte en la herencia del causante en virtud de un testamento anterior o de las reglas de la sucesión intestada, incluidos, en su caso, el Estado o la comunidad autónoma con derecho a suceder.

- Los herederos forzosos o legitimarios.

Como antes indicamos, en el certificado de actos de última voluntad se especifica la fecha y lugar en el que se otorgó el último testamento del causante, así como el nombre del notario que lo autorizó. Si el notario autorizante sigue en activo en la misma población donde se hizo el testamento, será a ese despacho a dónde deba acudirse y será fácil localizar el testamento. Sin embargo, si ha transcurrido mucho tiempo desde la fecha en la que se otorgó el testamento, puede ser que los archivos del notario que en su día autorizó el testamento se hayan atribuido en custodia a otro notario, por lo que habría que preguntar al colegio notarial de la comunidad autónoma a qué notario habría que acudir. Con todo, lo normal es que el testamento continúe en la misma notaría, si sigue existiendo, aunque el notario autorizante haya sido sustituido por otro.

Las personas con derecho a solicitar el testamento tendrán que **acudir al despacho del notario** que corresponda, con su DNI, y aportar copia del certificado de defunción y del certificado de actos de última voluntad. Ahora bien, también podrá pedirse la copia del testamento **por correo, enviando una solicitud con firma legitimada ante notario**, aportando la misma documentación ya señalada.

El coste de la copia autorizada del testamento dependerá del número de folios que integren el testamento original y de su antigüedad. El plazo para su obtención depende de cada notaría, aunque normalmente suelen tardar alrededor de una o dos semanas.

‖ El causante no había otorgado testamento

Si del certificado de actos de última voluntad se desprende que el causante no había otorgado testamento, **será necesario que un notario determine quiénes son los herederos llamados a la herencia conforme a la legislación civil aplicable**, a través del otorgamiento de una **declaración de herederos *ab intestato*.**

Desde el año 2015, esta declaración de herederos solo podrá tramitarse ante notario, regulándose su procedimiento en los artículos 55 y 56 de la Ley del Notariado de 28 de mayo de 1862.

Así las cosas, las personas que se consideren con derecho a suceder *ab intestato* a una persona fallecida y sean sus descendientes, ascendientes, cónyuge o pareja de hecho, o sus parientes colaterales, podrán instar la declaración de herederos *ab intestato*. Para ello, tendrán que **acudir al despacho del notario que resulte competente** para actuar en el lugar en que el causante hubiera tenido su último domicilio o residencia habitual, o donde estuviese la mayor parte de su patrimonio, o en el lugar en el que hubiera fallecido, siempre que estuvieran en España, a elección del solicitante. También se podrá elegir a un notario de un distrito colindante a los anteriores. A falta de todos ellos, será competente el notario del lugar del domicilio del requirente.

El acta se iniciará a requerimiento de cualquier persona que, a juicio del notario, tenga interés legítimo y su tramitación se realizará conforme a la normativa notarial. Dicho requerimiento para la iniciación del acta tendrá que contener la designación y los datos identificativos de las personas que el requirente considere llamadas a la herencia e ir acompañado de los documentos acreditativos del parentesco con el fallecido de los designados como herederos, así como de la identidad y domicilio del causante. Además, en todo caso será necesario acreditar el fallecimiento del causante y que el mismo se produjo sin testamento. En particular, y como mínimo, con carácter general, habrá que acompañar el certificado original de defunción, el DNI del fallecido, el certificado de actos de última voluntad, el libro de familia, los certificados de nacimiento de los herederos y su DNI. Quedarán incorporados al acta los documentos presentados o su testimonio.

El solicitante tendrá que afirmar la certeza de los hechos positivos y negativos en los que se vaya a fundar el acta, y que ofrecer dos testigos a quienes les conste que la persona de cuya sucesión se trate falleció sin testamento y que las personas designadas son sus únicos herederos. Si alguno de los interesados fuese menor y careciera de representante legal, o fuera una persona con discapacidad sin apoyo suficiente, el notario comunicará esta circunstancia al Ministerio Fiscal para que inste la designación de un defensor judicial. Los testigos podrán ser, en su caso, parientes del fallecido, sea por consanguinidad o por afinidad, cuando no tengan interés directo en la sucesión.

El notario tendrá que dar audiencia a los interesados, pudiendo practicar las pruebas propuestas por el requirente y las que se consideren oportunas. También podrá recabar la ayuda de los órganos, registros, autoridades públicas y consulares que tengan archivos o registros relativos a la identidad o el domicilio de las personas, si se ignorasen estos datos de alguno de los interesados. En caso de que no se lograse averiguar la identidad o el domicilio de alguno de ellos, se publicará la tramitación del acta en el BOE y, si el notario lo considera conveniente, también en otros medios adicionales de comunicación. Asimismo, deberá exponerse el anuncio del acta en los tablones de anuncios de los ayuntamientos del último domicilio del causante, del lugar del fallecimiento, si fuera distinto, o del lugar donde radiquen la mayor parte de los bienes inmuebles. Cualquier interesado podrá oponerse a la pretensión, presentar alegaciones o aportar documentos u otros elementos de juicio dentro del plazo de un mes a contar desde el día de la publicación o, en su caso, de la última exposición del anuncio.

Pasados los plazos oportunos (20 días hábiles desde la fecha del requerimiento inicial o desde la terminación del plazo de un mes para alegaciones en caso de publicación de anuncio), se terminará el acta, en la que el notario hará constar su juicio de conjunto sobre la acreditación por notoriedad de los hechos y presunciones en los que se funda la declaración de herederos, y se procederá a su protocolización. En caso afirmativo, declarará qué parientes del causante son los herederos *ab intestato*, expresando su identidad y los derechos que por ley les corresponden en la herencia.

CUESTIONES

1. El heredero de un causante acude al notario y solicita copia autorizada del último testamento otorgado por la persona fallecida. El día que va a recogerlo, al llegar a casa descubre que el testador no le ha dejado un bien muy especial para él, tal y como le había prometido. Revisa el certificado de últimas voluntades y advierte que, ocho años antes de otorgar el último testamento, el causante había otorgado otro en la misma notaría.

¿Puede obtener copia de ese otro testamento, por si en él sí se le hubiera dejado ese bien?

Una persona puede otorgar muchos testamentos a lo largo de su vida, pero, en principio, el único que valdría llegado el momento sería el último. De hecho, el Código Civil especifica que, cuando se otorga un testamento, el anterior queda revocado por el realizado con posterioridad, si el testador no expresa en este su voluntad de que el anterior subsista en todo o en parte. De ahí que, normalmente, y salvo que expresamente se deje vigente todo o parte del testamento anterior, el que tendrá valor para ordenar la sucesión del causante será el hecho en último lugar, con revocación de todos los anteriores.

Eso sí, cabe la posibilidad de que el testamento anterior pueda recobrar su fuerza si el testador, después de otorgar otro posterior, revoca el que hizo en último lugar y declara expresamente que su voluntad es que valga el primero.

En cualquier caso, y como decimos, salvo que el testador haya previsto expresamente lo contrario, el último testamento revoca a todos los anteriores, que no tendrán valor. Por ese motivo, las personas que tengan derecho a pedir una copia del testamento solo podrán obtener copias de testamentos revocados a los efectos limitados de acreditar su contenido, dejándose constancia expresa de su falta de vigor.

2. Cuando se pide una copia de un testamento, ¿queda constancia de su expedición en algún sitio?

La respuesta a esta pregunta dependerá del tipo de copia que se solicite.

Las copias auténticas llevan una anotación al final de la copia en la que se especifica la identidad de la persona que la solicitó, con indicación de que se expidió para él en cierto lugar y fecha. Del mismo modo, el notario también hace constar esa expedición en la matriz (en el documento original firmado que guarda en su archivo), donde se incluye una nota para indicar que en cierta fecha se expidió copia para determinada persona. Con ello, se busca llevar un control sobre el número de copias auténticas que se han expedido, lo que no resulta extraño dado el especial valor que las copias auténticas tienen frente a las simples.

En el caso de las copias simples, sin embargo, únicamente se incluye en la propia copia la referencia a que efectivamente tiene tal carácter y no se hace constar nada en la matriz.

2.4. El certificado de seguros de vida

La obtención del certificado referido a los seguros de vida del causante

El certificado de contratos de seguro con cobertura de fallecimiento es aquel **documento que acredita los contratos de seguro en los que la persona fallecida figuraba como asegurada, vigentes en el momento de su muerte, con especificación de las entidades con las que estaban concertados**. Si el causante no figuraba como asegurado en ningún contrato, esta circunstancia también constará de manera expresa en el certificado.

Este tipo de certificados únicamente contienen información relativa a los seguros de vida con cobertura de fallecimiento y a los de accidentes en los que se cubra la contingencia de muerte del asegurado, bien se trate de pólizas individuales o colectivas. Sin embargo, no se expiden certificados sobre los siguientes seguros:

- Los que instrumentan compromisos por pensiones de las empresas con los trabajadores y beneficiarios.
- Aquellos en los que, en caso de fallecimiento del asegurado, coincidan el tomador y el beneficiario.
- Los contratos suscritos por mutualidades de previsión social que actúen como instrumento de previsión social empresarial, mutualidades de profesionales colegiados y mutualidades cuyo objeto exclusivo sea otorgar prestaciones o subsidios de docencia o educación.

Los datos que se reflejan en el certificado están disponibles en el Registro de contratos de seguros de cobertura de fallecimiento durante un **plazo de cinco años** desde la fecha de la defunción. Sin embargo, **la solicitud no podrá presentarse hasta transcurridos 15 días hábiles** desde la fecha del fallecimiento (excluidos, por tanto, sábados, domingos y festivos).

A TENER EN CUENTA. Legalmente, se establece que el beneficiario tendrá que comunicar a la aseguradora el fallecimiento del asegurado dentro de un plazo máximo de siete días desde haberlo conocido, salvo que en la póliza se hubiese fijado un plazo más amplio. En caso de incumplimiento, la aseguradora podría reclamar los daños y perjuicios causados por la falta de declaración, siempre que no se demuestre que conoció la muerte por otras vías. Con todo, y dado que es necesario esperar 15 días hábiles desde el fallecimiento para poder solicitar el certificado de seguros, en la práctica no suele haber problemas si la dilación no se produce con mala fe o culpa grave. Aun así, para evitar cualquier inconveniente, recomendamos que si el beneficiario sabe de la existencia del seguro comunique de inmediato el fallecimiento a la aseguradora, por escrito; en caso contrario, que los interesados soliciten el certificado sin dilación, para comprobar si existen seguros o no, y que, tras obtenerlo, se dirijan a la aseguradora para comunicarle por escrito el fallecimiento con la misma celeridad.

Podrá solicitar el certificado cualquier persona interesada en obtener la información, siempre que presente los documentos requeridos o, en el caso de solicitud electrónica, que estén disponibles telemáticamente los datos de defunción necesarios; pudiendo efectuarse dicha solicitud de manera presencial, por correo o telemáticamente.

Como en el caso del certificado de actos de última voluntad, la emisión del certificado relativo a los seguros con cobertura de fallecimiento también está sometida al pago de una **tasa de 3,86 euros**, que deberá liquidarse a través del mismo formulario en caso de solicitud presencial o por correo («Modelo 790 de tasas administrativas»)

- **Solicitud presencial**

La solicitud de este certificado se podrá efectuar en persona en Madrid, en la **Oficina Central de Atención al Ciudadano**, o bien en las **Gerencias Territoriales del Ministerio de Justicia** en el resto de las comunidades autónomas.

Será necesario aportar el **certificado literal de defunción** original o una fotocopia compulsada, expedido por el registro civil correspondiente a la localidad en la que la persona haya fallecido y en el que tendrá que constar el nombre de los padres del fallecido. También habrá que aportar el modelo de **pago de la tasa**, debidamente cumplimentado, con acreditación de haberse efectuado el abono. Si el pago se hizo acudiendo personalmente a la entidad financiera, se acreditará con la validación mecánica o firma autorizada de la entidad en la copia del impreso 790 correspondiente al «ejemplar para la Administración»; pero si se efectuó a través de la banca electrónica o por transferencia desde el extranjero, deberá aportarse el comprobante o justificante correspondiente.

Por lo que se refiere a la necesidad de acompañar el certificado de defunción, debe tenerse en cuenta que, si la fecha de fallecimiento es posterior al 2 de abril de 2009 y la defunción no está inscrita en un juzgado de paz (oficina de justicia en la actualidad), no será preciso presentar el certificado de defunción. Sí habrá, sin embargo, que consignar el DNI o NIE del fallecido, su número de pasaporte a falta de este último u otro documento de identidad del país de origen si no tenía pasaporte.

Sea como fuere, si se dispone de él, recomendamos llevarlo igualmente cuando se vaya a efectuar la solicitud, así como también el propio DNI u otro documento de identificación del fallecido (a pesar de no ser estrictamente necesario), a fin de facilitar y agilizar la tramitación todo lo posible.

Normalmente, el certificado se emite en el momento, aunque en ciertos supuestos puede ser necesario un plazo mayor (en general, no superior a tres días hábiles).

- **Solicitud por correo postal**

La solicitud del certificado de contratos de seguro de cobertura de fallecimiento podrá enviarse por correo a la misma dirección que para la solicitud del certificado de actos de última voluntad, puesto que la gestión centralizada del Registro de Contratos de Seguros de Cobertura de Fallecimiento se lleva en el Registro General de Actos de Última Voluntad:

Registro General de Actos de Última Voluntad

Ministerio de Justicia

Plaza Jacinto Benavente, 3

28012 Madrid

Habrá que acompañar, junto con la solicitud, el **certificado literal de defunción** (original o fotocopia compulsada), así como el modelo de **pago de la tasa** debidamente cumplimentado y la acreditación de haberse efectuado su abono, según lo antes apuntado. Además, y de nuevo, si la fecha de fallecimiento es posterior al 2 de abril de 2009 y la defunción no está inscrita en un juzgado de paz (oficina de justicia en la actualidad), no sería necesario presentar el certificado de defunción, aunque sí habría que consignar el DNI o NIE del fallecido, su número de pasaporte a falta de este último u otro documento de identidad del país de origen si no tenía pasaporte.

En cualquier caso, para facilitar la tramitación de la solicitud, recomendamos que, de ser posible, se aporte el certificado de defunción y también la copia del DNI, NIE u otro documento identificativo del causante.

De efectuarse la solicitud por esta vía, en principio, el certificado se emite en un plazo de siete días hábiles a contar desde el día siguiente a su recepción; aunque en algunos casos su expedición puede demorarse más según la demanda que tenga el servicio. El certificado solicitado se remitirá a la dirección indicada en el apartado de «identificación» del modelo 790 de pago de la tasa.

- **Solicitud telemática**

En caso de que se cuente con certificado digital o DNI electrónico, la solicitud también podrá realizarse por vía telemática, **en la sede electrónica del Ministerio de Justicia, cumplimentando el formulario que se facilita y abonando la tasa** a través de la pasarela de pago de la Agencia Tributaria.

A partir de los datos que se faciliten, se verificará la disponibilidad por medios telemáticos de la información sobre la inscripción de la defunción del causante. Si dicha información está disponible en línea, podrá completarse la solicitud. Por el contrario, si con los datos proporcionados no fuera posible recuperar esa información, el sistema avisará de esta situación con un mensaje en la pantalla, para que se verifique si los datos introducidos son correctos y, de ser así, para que se intente de nuevo con otro de los grupos de búsqueda.

Ahora bien, solo podrá presentarse la solicitud por esta vía si la fecha del fallecimiento es posterior al 2 de abril de 2009 y la defunción no está inscrita en un juzgado de paz (oficina de justicia en la actualidad). De lo contrario, será necesario acudir a la vía presencial o por correo, ya que habrá que acompañar el certificado literal de defunción.

Conviene guardar o imprimir los justificantes de registro de la solicitud y de pago de la tasa (el primero, en concreto, incluirá el número de solicitud, que luego será preciso para la descarga del certificado).

En esta modalidad telemática, el plazo general de expedición del certificado es de siete días hábiles, aunque puede demorarse excepcionalmente por razones de servicio. Una vez que el certificado esté listo para su descarga, el interesado tendrá 90 días naturales para acceder a él, y si no hace en ese plazo, deberá volver a solicitarlo.

Cuando el certificado haya de surtir efectos en el extranjero, necesitará ser legalizado o apostillado, por lo que deberá advertirse esta circunstancia en el momento de la solicitud.

CUESTIONES

1. Lorenzo, que vive en Burgos, va a solicitar el certificado de contratos de seguro de cobertura de fallecimiento de un pariente y quiere pagar la tasa correspondiente a su expedición por transferencia bancaria. ¿Puede hacerlo?

El pago de la tasa asociada a este trámite mediante transferencia bancaria solo está permitido para aquellos casos en los que se realice desde el extranjero, por lo que en este caso parece que no cabría. Lo que podría hacer Lorenzo es:

Si efectúa la solicitud presencialmente o por correo, deberá, en primer lugar, obtener el modelo 790 de pago de la tasa online en la sede electrónica del Ministerio de Justicia o, gratuitamente, en las Gerencias Territoriales del Ministerio de Justicia o en la Oficina Central de Atención al Ciudadano sita en Madrid. Luego, podrá pagarla a través del sistema de banca electrónica de alguna de las entidades colaboradoras de la Agencia tributaria o acudiendo en persona a una de sus oficinas para realizar el abono.

Si presenta la solicitud por vía telemática, abonará la tasa directamente a través de la pasarela de pagos de la Agencia Tributaria.

2. Y si Lorenzo no estuviese en España y fuese a realizar la solicitud desde el extranjero, por correo postal, ¿podría pagar la tasa por transferencia en todo caso?

No, incluso en este supuesto, solo podría efectuar el pago por esta vía si realiza la transferencia desde una cuenta abierta en un banco situado fuera del territorio español. De lo contrario, podrá efectuar el pago a través de la banca electrónica de alguna de las entidades colaboradoras de la Agencia Tributaria o bien en una sucursal que estas tengan en el país donde se solicita el certificado.

2.5. La documentación relativa a los bienes: inmuebles, vehículos, cuentas bancarias...

Obtención de la documentación restante referida a los bienes hereditarios

Además de los certificados y documentos hasta ahora indicados, como paso previo a la liquidación del Impuesto sobre Sucesiones y a la restante la tramitación de la herencia, será necesario recabar la documentación relativa a los bienes, derechos y obligaciones que integrasen el patrimonio del causante.

Fundamentalmente, nos referimos a los siguientes documentos:

- **Bienes inmuebles en general (fincas, viviendas, locales...)**: será necesario contar con copia del último recibo del Impuesto sobre Bienes Inmuebles (IBI) y del título de adquisición de los inmuebles (escritura pública de compraventa, donación, contrato, etc.) o, en su defecto, nota simple registral si los bienes están inscritos en el registro de la propiedad (habrá que acudir a dicho registro para obtenerla, aunque también puede solicitarse *online* a través de la página web de Registradores de España).

- **Vehículos**: habrá que buscar su documentación (ficha técnica, permiso de circulación).

- **Dinero en cuentas bancarias**: habrá que solicitar en el banco un certificado que indique los saldos de las cuentas y/o los valores depositados a fecha del fallecimiento, así como el número de titulares. En el caso de no saber a qué entidad bancaria acudir, puede acudirse a la Agencia Tributaria. En cualquier caso, será necesario aportar, como mínimo, el certificado de defunción y la documentación que acredite al interesado como heredero (últimas voluntades, testamento o declaración de herederos), así como los documentos identificativos. Además, será importante comunicar el fallecimiento a la entidad bancaria lo antes posible, a fin de que adopte las prevenciones oportunas.

- **Contratos de seguro**: en el caso de que, a la vista del certificado de contratos de seguro de cobertura de fallecimiento, resulte que el causante tenía un seguro de vida vigente en el momento de su muerte, en el que figuraba como asegurado, habrá que obtener la copia de la póliza o bien un certificado expedido por la entidad aseguradora.

- **Acciones o participaciones sociales en entidades**: será preciso contar con la justificación del valor teórico de las participaciones en entidades jurídicas cuyos títulos no coticen en bolsa.

- **Cargas, gravámenes, deudas o gastos:** habrá que disponer de documentación que los acredite. Por ejemplo, los documentos notariales y bancarios referidos a posibles hipotecas, las facturas de los gastos de entierro y funeral, los documentos acreditativos de deudas pendientes de pago del causante, etc.

En general, el objetivo es lograr toda la documentación que permita demostrar la propiedad o los derechos que el causante pudiese tener sobre los distintos bienes o deudas que componen su herencia, preferiblemente de carácter oficial.

CUESTIÓN

1. Si un heredero no sabe qué bienes inmuebles tenía el fallecido ni dónde, ¿qué podría hacer?

A fin de conocer los inmuebles de los que era titular un causante puede acudirse al registro de la propiedad para obtener información sobre los concretos registros de la propiedad en los que existan bienes inmuebles inscritos a nombre del fallecido y luego acudir a cada uno de ellos para solicitar notas que identifiquen a dichos inmuebles. También podría acudirse al Catastro para solicitar información sobre los inmuebles que en dicho órgano figurasen inscritos a nombre del fallecido. La primera de las vías será más fiable con respecto a los inmuebles inscritos, pero tendrá coste económico y, además, podrían existir otros bienes que no estén inscritos.

2. Los herederos de una persona que acaba de fallecer quieren saber si tenía deudas, antes de aceptar la herencia. ¿Cómo podrían proceder?

Además de dirigirse a las entidades bancarias que correspondan para obtener información sobre los saldos de las cuentas bancarias o posibles préstamos e hipotecas, o de comprobar las cargas de los inmuebles en el registro, podrían consultar las deudas con las Administraciones públicas (fundamentalmente, la Agencia Tributaria y la Seguridad Social).

3. ¿Los herederos tienen derecho a solicitar información sobre los movimientos de las cuentas bancarias de una persona fallecida?

Los herederos de un causante tienen derecho a obtener las posiciones y movimientos de la cuenta bancaria posteriores al fallecimiento del titular. Asimismo, las entidades bancarias también deben facilitarle los movimientos correspondientes al año anterior al fallecimiento.

3.
ÚLTIMOS PASOS PARA TRAMITAR LA HERENCIA

¿Cuáles son los pasos posteriores en la tramitación de una herencia?

Una vez vistas las cuestiones básicas que, desde el punto de vista del derecho civil, surgen en torno al fenómeno hereditario y el conjunto de documentos centrales que los herederos o legatarios han de obtener en primer lugar, llegamos a los trámites finales de la herencia: la liquidación del Impuesto sobre Sucesiones y Donaciones (ISD) y el reparto de la herencia a través de la partición hereditaria, como consecuencia de la cual se adjudicará a cada uno de los sucesores la propiedad de los bienes que le correspondan:

- La **presentación y el pago del ISD** es una obligación que se impone por la ley a las personas físicas que sean causahabientes o beneficiarias de una sucesión, bien se trate de herederos o legatarios, o bien de meros beneficiarios de un seguro sobre la vida cuyo contratante era una persona distinta del beneficiario y por el que no se deba tributar en el IRPF.

- El **reparto o la partición de la herencia** es aquella operación por medio de la cual se extingue la comunidad hereditaria que surge sobre la herencia, tras la aceptación de los distintos llamados a ella, y que termina con la atribución bienes y derechos singulares y concretos a cada uno de los herederos.

Paralelamente, en aquellos **casos en los que el fallecido tuviese contratado y vigente a fecha de su muerte un seguro sobre la vida, los beneficiarios del mismo también tendrán que tramitar su abono** con la entidad correspondiente.

A su vez, cuando en la herencia existan **bienes inmuebles urbanos**, también habrá que tributar por ellos, en su caso, a través del Impuesto sobre el Incremento de Valor de los Terrenos de Naturaleza Urbana, comúnmente conocido como **«plusvalía municipal»**.

3.1. La liquidación del Impuesto sobre Sucesiones: regulación, lugar de presentación y plazos

La liquidación del ISD

El Impuesto sobre Sucesiones y Donaciones es una **figura impositiva que recae sobre las adquisiciones de bienes que se realicen a título gratuito**, esto es, sin contraprestación o precio; tanto si se producen *mortis causa* (por causa de la muerte de una persona, sería el supuesto de las herencias o sucesiones) como *inter vivos* (por negocios celebrados entre personas vivas, como sería la donación u otros negocios jurídicos similares a ella). De ahí el nombre que recibe el impuesto y el hecho de que su regulación diferencie en su seno dos modalidades, en función de que el hecho imponible lo constituya una herencia o una donación. Por razones evidentes, en esta guía nos centraremos en la modalidad que grava las transmisiones *mortis causa* o sucesiones.

A nivel estatal, su regulación se contiene en la Ley 29/1987, de 18 de diciembre, del Impuesto sobre Sucesiones y Donaciones (en adelante, LISD); desarrollada a través del Real Decreto 1629/1991, de 8 de noviembre, por el que se aprueba el Reglamento del Impuesto sobre Sucesiones y Donaciones (en adelante, RISD).

En cualquier caso, y antes de entrar en el análisis de las distintas cuestiones que se han de tener en cuenta a la hora de presentar el impuesto, conviene señalar que se trata de un **tributo que está cedido a las comunidades autónomas**, de conformidad con el artículo 11 de la Ley Orgánica 8/1980, de 22 de septiembre, de Financiación de las Comunidades Autónomas. Esto supone que las comunidades autónomas tengan competencias para dictar normas propias en materia de reducciones de la base imponible, tarifa del impuesto, cuantías y coeficientes del patrimonio preexistente, deducciones y bonificaciones de la cuota; así como en materia de gestión y liquidación del impuesto (artículo 48 de la Ley 22/2009, de 18 de diciembre). Igualmente, tendrán cedida de manera total la recaudación de este impuesto conforme al artículo 26 de la Ley 22/2009, de 18 de diciembre.

Así las cosas, en nuestro país conviven diferentes normas que regulan el Impuesto sobre Sucesiones y Donaciones: la legislación estatal y las legislaciones autonómicas. Las normas autonómicas introducen ciertas particularidades en las cuestiones antes mencionadas, pero el esquema general del impuesto, que se deriva de la legislación estatal, será básicamente el mismo en todos los casos, como se verá a continuación.

Cuestiones previas a tener en cuenta para presentar el ISD

En la medida en que las comunidades autónomas pueden haber asumido competencias de cara a la gestión y liquidación del Impuesto sobre Sucesiones y Donaciones, y dado que también pueden regular especialidades en cuanto a las reducciones, bonificaciones u otras cuestiones aplicables en este ámbito, a la hora de presentar el impuesto deben tenerse en cuenta varias cosas:

- **¿Qué Hacienda es competente para gestionar y liquidar el impuesto?**
- **¿Qué normas regirán para liquidar el impuesto?**
- **¿Qué modalidades de presentación pueden utilizarse?**

Antes de entrar en el análisis separado de estas cuestiones, parece conveniente apuntar que, por lo general, la liquidación del impuesto no es tan compleja como en principio puede parecer. En realidad, estas distintas preguntas a las que el contribuyente ha de responder no suelen plantear problemas en la mayoría de los casos, cuando los sucesores y el causante tengan su residencia dentro de una misma comunidad autónoma. Su auténtica operatividad (y mayor complejidad) se producirá en aquellos supuestos en los que unos y/u otros residan fuera de España o en distintas comunidades autónomas.

Dicho lo anterior, veamos cómo responder a cada una de esas preguntas.

‖ 1. ¿Qué Hacienda es competente para gestionar y liquidar el impuesto?

En primer lugar, el contribuyente debe preguntarse de quién es la competencia para gestionar y liquidar el impuesto: si de la Administración tributaria autonómica o de la Administración tributaria del Estado.

Así, **cuando las comunidades autónomas hayan asumido competencias de gestión y liquidación del impuesto, este deberá presentarse y tramitarse ante las oficinas de la comunidad autónoma** que correspondan según las reglas que luego se analizarán.

Sin embargo, **cuando el causante tuviese su residencia habitual fuera de España, la gestión del ISD relativo a su herencia corresponderá en todo caso a la Agencia Estatal de Administración Tributaria**.

‖ 2. ¿Qué normas regirán para liquidar el impuesto?

En segundo lugar, será necesario saber qué legislación se aplicará para liquidar el impuesto, esto es, qué norma va a regir para la liquidación, si la estatal o la de alguna comunidad autónoma. De la aplicación de una u otra dependerán, por ejemplo, las reducciones que procedan o las bonificaciones, puesto que son materias en las que las normas autonómicas pueden haber introducido especialidades o mejoras frente a la legislación estatal (unas especialidades que, a su vez, no serían las mismas para todos los territorios, sino diferentes en cada uno).

Con respecto a esta cuestión, es importante tener presente que la aplicación de una u otra legislación no tiene por qué estar ligada, necesariamente, con el hecho de que el impuesto deba liquidarse ante la Hacienda estatal o la autonómica. Es decir, puede ser que la Hacienda estatal sea competente para gestionar el impuesto, pero que la normativa que deba regir la liquidación sea autonómica por haber ejercitado el contribuyente esa opción. De nuevo, nos estamos refiriendo a supuestos en los que los sucesores y/o el causante tengan su residencia en el extranjero.

La siguiente tabla recoge los criterios que, a grandes rasgos, permitirían determinar qué Administración será competente para gestionar el impuesto y qué normativa resultará de aplicación cuando alguna de las partes no tenga su residencia en España o puedan entrar en juego distintas comunidades autónomas (por la residencia de las partes o la situación de los bienes):

A TENER EN CUENTA. Dicha tabla se ha elaborado a partir de los criterios que se desprenden de la disposición adicional 2.ª de la LISD, así como teniendo en cuenta los artículos 6 y 7 de la LISD, y los artículos 28 y 32 de la Ley 22/2009, de 18 de diciembre. Para más información, pueden considerarse todas esas normas conjuntamente.

Causante	Sujeto pasivo	Competencia	Normativa aplicable
Residente	Residente	Comunidad autónoma (CA) de residencia del causante	CA de residencia del causante
Residente	No residente	Estatal	Opción: • Estatal. • CA de residencia del causante.
No residente	Residente	Estatal	Opción: • Estatal. • CA con el mayor valor de los bienes situados en España y, si no hay bienes en España, CA en la que es residente.
No residente	No residente	Estatal	Opción: • Estatal. • CA con el mayor valor de los bienes situados en España.

A los efectos de lo dispuesto en la disposición adicional 2.ª de la LISD, se considerará que las personas físicas residentes en territorio español lo son en una comunidad autónoma cuando permanezcan en su territorio un mayor número de días del período de los cinco años inmediatos anteriores, contados de fecha a fecha, que finalice el día anterior al del fallecimiento del causante.

CUESTIONES

1. Una persona se trasladó a España en 2009 y fallece en marzo de 2026 en la Comunidad Autónoma de Madrid, habiendo residido allí durante toda su estancia en España. Sus herederos residen en Bolivia, país de procedencia del causante. ¿Qué normativa se aplicaría en la liquidación del ISD por parte de los herederos y qué Hacienda sería competente para la liquidación del impuesto?

La equiparación realizada por la disposición adicional 2.ª de la LISD determina que los herederos tengan una doble opción a este respecto: aplicar la legislación estatal o la autonómica del territorio en el que residió el causante hasta la fecha de su muerte.

Dado que el causante residía en España en el momento de su muerte y que los herederos tienen su residencia habitual en el extranjero, la Hacienda competente para gestionar y liquidar el impuesto sería la estatal.

2. Rodolfo emigró a Francia, donde tenía su residencia fijada desde hace doce años. Falleció en diciembre de 2025 y su único heredero es su hermano, residente en Barcelona. ¿Qué normativa resultará de aplicación a la hora de que el hermano de Rodolfo liquide el ISD y qué Hacienda será competente para gestionarlo?

De nuevo, el heredero podrá ejercitar una opción a este respecto: aplicar la normativa estatal o la normativa de la comunidad autónoma con el mayor valor de los bienes situados en España y, en caso de no existir bienes en España, la de la comunidad autónoma de residencia del heredero.

La Hacienda competente para gestionar y liquidar el impuesto, y por tanto aquella ante la que ha de presentarse, sería la estatal, porque el causante tenía su residencia habitual en el extranjero y el heredero la tiene en España.

3. Si, en el caso anterior, los herederos hubieran liquidado también un impuesto por esa sucesión en Francia, ¿pueden de algún modo tenerlo en cuenta en su liquidación el ISD en España?

Sí, la normativa del ISD permite que cuando el contribuyente quede sujeto al impuesto por obligación personal (básicamente, por ser residente en España), tendrá derecho a deducir ciertos importes por doble imposición internacional. En concreto, según indica el artículo 23 de la LISD, podrá deducir la menor de las siguientes dos cantidades:

– El importe efectivo de lo satisfecho en el extranjero por un impuesto similar que afecte a la adquisición que se somete a gravamen en España.

– El resultado de aplicar el tipo medio efectivo de este impuesto a la adquisición correspondiente a bienes que radiquen o derechos que puedan ser ejercitados fuera de España, cuando hubiesen sido sometidos a gravamen en el extranjero por un impuesto similar.

4. El causante de una sucesión fallece en Galicia en mayo de 2026, en la misma localidad en la que había nacido y residido durante toda su vida. Sus hijos y herederos residen en las localidades gallegas colindantes. ¿Qué normativa aplicarán para liquidar el ISD y ante qué Hacienda lo harán?

En este supuesto, dado que todos los implicados residían en la misma comunidad autónoma, se aplicará la normativa autonómica de esta y será su Hacienda la competente para gestionar y liquidar el impuesto.

‖ 3. ¿Qué modalidades de presentación pueden utilizarse?

Finalmente, también cabe plantearse qué modalidad de las dos que permite el ISD se va a utilizar para presentar el impuesto: si la liquidación o la autoliquidación.

La **liquidación** supone que el contribuyente presente los documentos necesarios (certificado de defunción, últimas voluntades, etc.) en la oficina gestora que corresponda y que la propia Administración aplique las normas de liquidación para efectuar la misma, comunicándole después al interesado su resultado e indicándole la cantidad que debe ingresar y el plazo (si efectivamente tiene que pagar). Por el contrario, en el supuesto de que se practique una **autoliquidación**, el contribuyente, además de presentar toda la documentación, tendrá que realizar él mismo la liquidación del impuesto a través del modelo de formulario que corresponda en cada caso.

En la práctica, el régimen de autoliquidación es hoy el habitual. Además, la propia LISD establece expresamente su carácter obligatorio en determinadas comunidades autónomas.

De acuerdo con el artículo 34.4 de la LISD, **el régimen de autoliquidación del impuesto con carácter obligatorio se establece en las siguientes comunidades autónomas**:

- Andalucía.
- Aragón.
- Principado de Asturias.
- Illes Balears.
- Canarias.
- Cantabria.
- Castilla-La Mancha.
- Castilla y León.
- Cataluña.
- Galicia.
- Región de Murcia.
- Comunidad Autónoma de La Rioja (en esta región se incorporó la autoliquidación como obligatoria a finales de 2022, con efectos a partir del 29 de diciembre de 2022).
- Comunidad de Madrid.
- Comunidad Valenciana.

A TENER EN CUENTA. La disposición adicional segunda de la LISD dispone, además, que los contribuyentes que deban cumplir sus obligaciones ante la Administración tributaria del Estado presentarán necesariamente autoliquidación.

¿En qué plazo debe liquidarse el Impuesto sobre Sucesiones?

El artículo 67 del RISD establece los plazos de presentación del impuesto. En concreto, en el caso de adquisiciones por causa de muerte (sucesiones), incluidas las de los beneficiarios de contratos de seguro de vida, el plazo de presentación de los documentos o declaraciones es de **seis meses**, contados **desde el día del fallecimiento del causante o asegurado o desde aquel en el que adquiera firmeza la declaración de fallecimiento.**

A TENER EN CUENTA. En la guía nos referimos a supuestos de herencias en las que se produzca el fallecimiento del causante, pues en el caso de pactos sucesorios o herencias en vida, que admiten algunas comunidades autónomas con legislación civil foral o especial, los plazos pueden variar y su cómputo se realizará desde el día siguiente a aquel en el que se formalice el acto o contrato de que se trate. Por ejemplo, en algunos casos el plazo será también de seis meses, pero en otros puede ser un mes (por ejemplo, en Galicia) Además, para las herencias en vida también existen otras particularidades, dada su peculiar naturaleza (a medio camino entre un negocio por causa de muerte y uno realizado entre personas vivas), por lo que recomendamos consultar con la oficina correspondiente las especialidades que puedan proceder y revisar a fondo la normativa tributaria autonómica que, en su caso, resulte de aplicación.

Por otra parte, en este punto conviene que nos refiramos también al hecho de que, por muerte de una persona, es posible que el derecho de propiedad que el causante ostentaba sobre algunos bienes se desmiembre, de forma que una persona adquiera su usufructo y otra la nuda propiedad. En tales casos, con el fallecimiento del causante, la persona que adquiera el usufructo tendrá que liquidar el impuesto por el valor que se le atribuya a dicho usufructo y la que adquiera la nuda propiedad tendrá que hacerlo por el valor al que ascienda dicha nuda propiedad. La normativa reguladora del impuesto especifica qué valor se ha de atribuir al usufructo en cada caso, según veremos con posterioridad en la guía, siendo el de la nuda propiedad el resultado de restar del valor total e íntegro del bien el valor del usufructo (valor nuda propiedad = valor total - valor del usufructo).

Sin perjuicio de lo anterior, hay que tener también presente que, **cuando se extinga el usufructo, se producirá la consolidación del dominio en la persona del nudo propietario, que tendrá que presentar por ello una nueva liquidación del impuesto**. Esto es, la liquidación del ISD del nudo propietario debe producirse en dos momentos: en el momento de fallecer el causante que le dejó la nuda propiedad, tendrá que liquidar el impuesto por esa nuda propiedad y, luego, al consolidar su dominio por extinguirse el usufructo que debía soportar sobre el bien, deberá liquidar de nuevo el impuesto por esa parte restante (es la liquidación del ISD por «consolidación del dominio por extinción del usufructo», que tiene un modelo específico y distinto del que sirve para liquidar con carácter general la adquisición de bienes por herencia).

Pues bien, para **determinar de qué plazo dispone el nudo propietario para presentar esa liquidación por consolidación del dominio habrá que ver qué hecho determinó la extinción del usufructo**:

- Si el usufructo se extinguió por **muerte del usufructuario**, el plazo para que el nudo propietario liquide el impuesto por consolidación del dominio será de seis meses, a contar desde el día del fallecimiento del usufructuario o desde aquel en que adquiera firmeza la declaración de fallecimiento de este.

- Si el usufructo terminó por **otras causas** (por ejemplo, por cumplirse una condición o plazo fijado para ello), el plazo será de 30 días hábiles, a contar desde el día siguiente a aquel en el que se produzca la extinción.

Finalmente, debemos resaltar que todos estos son los plazos previstos por la legislación estatal, de forma que es posible que las comunidades autónomas hayan establecido otros cuando la liquidación del impuesto deba hacerse ante tales Administraciones con los modelos aprobados por su normativa autonómica.

CUESTIONES

1. Una persona fallece el 2 de enero de 2026, ¿qué plazo tienen los herederos para llevar a cabo la declaración del ISD?

Con carácter general, el plazo será de 6 meses, contado de fecha a fecha, desde el día del fallecimiento del causante. Por tanto, el último día para la presentación del ISD por la muerte de esa persona sería el día 2 de julio de 2026.

2. Si esa persona que fallece el 2 de enero de 2026 tenía el usufructo vitalicio sobre una vivienda que le había dejado su difunto cónyuge, cuya nuda propiedad se había atribuido a uno de los hijos comunes, ¿esta circunstancia le afectará a ese hijo y nudo propietario de alguna forma?

Sí, el heredero, que hasta el fallecimiento del usufructuario solo tenía la nuda propiedad de la vivienda, tras el fallecimiento del usufructuario consolidará su dominio sobre el inmueble por extinguirse el usufructo. Por lo tanto, tendrá que presentar la correspondiente liquidación del Impuesto sobre Sucesiones y Donaciones por consolidación del dominio en el plazo de seis meses desde la muerte del usufructuario.

Y ello con independencia de la liquidación que, presumiblemente, deba presentar por los bienes y derechos que como heredero o legatario pueda recibir en la sucesión de ese usufructuario, que también era su progenitor.

La prórroga o suspensión del plazo para liquidar el Impuesto sobre Sucesiones

El reglamento estatal que regula el Impuesto sobre Sucesiones y Donaciones contempla la posibilidad de que el plazo para la presentación del impuesto pueda prorrogarse o suspenderse.

a. La prórroga del plazo de presentación del impuesto

La oficina competente para recibir los documentos o declaraciones podrá **conceder prórroga para la presentación de los relativos a una sucesión por un plazo igual al señalado para su presentación inicial (seis meses)**. La solicitud de prórroga y su régimen se desarrollan en el artículo 68 del RISD.

Esta **solicitud de prórroga se presentará por los herederos, albaceas o administradores del caudal hereditario dentro de los cinco primeros meses del plazo de presentación**, acompañada del certificado de defunción del causante, y haciendo constar en ella el nombre y domicilio de los herederos declarados o presuntos y su grado de parentesco con el causante cuando fuesen conocidos, la situación y el valor aproximado de los bienes y derechos, así como los motivos en los que se basa la solicitud. Si se presentase después de transcurridos los cinco primeros meses del plazo de presentación del impuesto, se denegará la prórroga.

Transcurrido **un mes desde la presentación de la solicitud sin que se hubiese notificado acuerdo** sobre ella, se entenderá que la prórroga ha sido **concedida**.

En el caso de que se deniegue la prórroga solicitada, el plazo de presentación se entenderá ampliado en los días transcurridos desde el siguiente al de la presentación de la solicitud hasta el de notificación del acuerdo denegatorio. Si, como consecuencia de esta ampliación, la presentación tuviese lugar después de pasados seis meses desde el devengo del impuesto, el sujeto pasivo deberá abonar intereses de demora por los días transcurridos desde la terminación del plazo de seis meses.

La prórroga concedida empezará a contarse desde que finalice el plazo de seis meses para presentar el impuesto y conllevará la obligación de abonar el interés de demora correspondiente hasta el día en que se presente el documento o la declaración. Si terminado el plazo de la prórroga no se hubiesen presentado los documentos, se podrá girar liquidación provisional en base a los datos de los que disponga la Administración, sin perjuicio de las sanciones que procedan.

| **b. La suspensión del plazo de presentación del impuesto**

Cuando **se promueva juicio en relación con actos o contratos relativos al hecho imponible, se interrumpirán los plazos establecidos para la presentación** de los documentos y declaraciones, empezando a **contarse de nuevo desde el día siguiente a aquel en el que sea firme la resolución definitiva** que ponga término al procedimiento judicial. Es una posibilidad que desarrolla el artículo 69 del RISD.

Si se promovieran después de haberse presentado el documento o la declaración en plazo, la Administración suspenderá la liquidación hasta que sea firme la resolución definitiva. En caso de promoverse tras la expiración del plazo de presentación o del de la prórroga sin haberse presentado el documento o la declaración, la Administración requerirá la presentación, pero podrá suspender la liquidación hasta que recaiga resolución firme, sin perjuicio de las sanciones que puedan proceder; y, cuando se promoviesen después de practicada la liquidación, podrá acordarse el aplazamiento de pago.

No se consideran cuestiones litigiosas de cara a la suspensión de estos plazos:

- Las diligencias judiciales que tengan por objeto la apertura del testamento o su elevación a escritura pública.

- La formación de inventarios para aceptar la herencia con dicho beneficio o con el de deliberar, el nombramiento de curador o defensor judicial, la prevención del *ab intestato* o del juicio de testamentaría, la declaración de herederos cuando no se formule oposición y, en general, las actuaciones de jurisdicción voluntaria cuando no adquieran carácter contencioso.

- Tampoco producirán la suspensión la demanda de retracto legal o la del beneficio de justicia gratuita, ni las reclamaciones que se dirijan a hacer efectivas deudas contra la testamentaría o *ab intestato,* mientras no se prevenga a instancia del acreedor el correspondiente juicio universal.

La promoción de la división judicial de la herencia interrumpirá los plazos, que se empezarán a contar de nuevo desde el día siguiente al aquel en el que quede firme la resolución que apruebe las operaciones divisorias o la sentencia que ponga fin al pleito en caso de oposición, o bien desde que todos los interesados desistan del juicio promovido.

A estos efectos, **se entenderá que la cuestión litigiosa comienza en la fecha de presentación de la demanda** y se asimilan a dichas cuestiones litigiosas los procedimientos penales que versen sobre la falsedad del testamento o del documento determinante de la transmisión.

A TENER EN CUENTA. En el caso de que los litigantes dejasen de instar o de continuar el litigio durante un plazo de seis meses, la Administración podrá exigir la presentación del documento y practicar la liquidación oportuna con respecto al acto o contrato litigioso, a reserva de la devolución que proceda si al terminar el juicio se declarase que no surtió efecto. Si se diese lugar a que los tribunales declarasen la caducidad del procedimiento que dio lugar al litigio, no se considerarán suspendidos los plazos y la Administración exigirá las sanciones e intereses de demora a partir del día siguiente a aquel en el que hubieran expirado los plazos reglamentarios para la presentación. La suspensión del curso del procedimiento judicial por conformidad de las partes producirá el efecto de que, a partir de la fecha en que la soliciten, comience a correr de nuevo el plazo de presentación interrumpido.

CUESTIONES

1. El causante de una sucesión falleció el 15 de diciembre de 2024, instituyendo a su hijo como único heredero. Este heredero se ha visto inmerso en múltiples y complejos proyectos laborales durante los meses siguientes a la muerte de su padre, que le han impedido prestar toda la atención debida a la tramitación de la herencia. A día 7 de junio de 2025, sin haber solicitado siquiera el testamento en la notaría se pregunta si puede pedir una prórroga del plazo para liquidar el Impuesto sobre Sucesiones.

La solicitud de prórroga del plazo de presentación del ISD debe presentarse dentro de los cinco primeros meses del plazo inicial de presentación. En la medida en que el causante falleció el 15 de diciembre, esos cinco meses se cumplieron a mediados de mayo de 2025, con lo que ya no podría obtener la prórroga.

2. Los herederos de un causante, disconformes con el testamento, han iniciado un procedimiento judicial para impugnar varias de sus cláusulas. El problema es que lo dejaron desatendido y, por inacción de las partes, se declaró su caducidad el pasado 23 de mayo de 2025. ¿Tendrá esto alguna incidencia a los efectos del Impuesto sobre Sucesiones y Donaciones o continuará suspendido el plazo de presentación?

Tal y como señala el reglamento que regula el Impuesto sobre Sucesiones, la declaración de la caducidad del procedimiento supondrá que no se consideren suspendidos los plazos y que la Administración pueda exigir las sanciones e intereses de demora a partir del día siguiente a aquel en el que hubiesen concluido los plazos de presentación del impuesto.

¿Dónde debe presentarse la documentación y la declaración del Impuesto sobre Sucesiones y Donaciones?

Los documentos o declaraciones correspondientes al impuesto tendrán que presentarse en la oficina competente, según los criterios que indica el artículo 70 del RISD.

Como regla general y básica, para los supuestos de adquisición de bienes y derechos por causa de muerte, como consecuencia de una sucesión, la presentación se realizará en la **oficina correspondiente al territorio donde el causante hubiese tenido su residencia habitual**.

Ahora bien, si el **causante no tuviera su residencia habitual en España**, se presentarán en la Delegación de Hacienda en **Madrid**, pero cuando concurran a la sucesión uno o varios causahabientes con residencia habitual en España podrán **optar** por presentarlos, previo acuerdo de los interesados, en la oficina que corresponda al territorio donde cualquiera de ellos tenga su residencia habitual.

Todos los documentos o declaraciones que se refieran a una misma sucesión tendrán que presentarse en la oficina que resulte competente conforme a las reglas anteriores. Por otra parte, en el caso de que el mismo documento incluyese la adquisición de bienes y derechos procedentes de distintas herencias, la presentación se hará en la oficina competente para liquidar la última ma ocurrida en el tiempo.

En los **casos en que se trate exclusivamente de la percepción de cantidades por los beneficiarios de contratos de seguro sobre la vida** que tributen por el impuesto, los interesados podrán **optar** por realizar la presentación en la oficina correspondiente al territorio donde la entidad aseguradora deba proceder al pago.

Como reglas particulares, cabe destacar, por último, lo siguiente:

- Los documentos que comprendan transmisiones por causa de muerte y adquisiciones gratuitas *inter vivos* (donaciones) se presentarán en la oficina competente para liquidar la transmisión por causa de muerte.

- Cuando se practiquen diversas liquidaciones, ya sean provisionales o definitivas, las segundas y siguientes deberán efectuarse, precisamente, en la oficina que hubiese practicado la primera.

- Los documentos o declaraciones relativos a extinción de usufructos, o los que tengan por objeto hacer constar el cumplimiento de condiciones, se presentarán en la misma oficina que hubiese conocido de los actos o documentos en que se constituyeron o establecieron.

CUESTIÓN

¿Qué sucede si la oficina ante la que se presenta la declaración se considera incompetente para liquidar el impuesto?

Cuando la oficina donde se presente el documento o la declaración considere que no es competente para liquidar, remitirá de oficio (por sí misma, sin necesidad de solicitud del interesado) la documentación a la competente, notificando al presentador esta circunstancia y el acuerdo declarándose incompetente.

3.2. Otros trámites: seguros de vida, reparto y bancos

Otros trámites a realizar junto con la liquidación del ISD

Además de la liquidación del Impuesto sobre Sucesiones, los beneficiarios de la herencia del causante o de los seguros de vida que pudiese tener contratados, también habrán de realizar otros trámites, dirigidos, fundamentalmente, al reparto de la herencia y el cobro del seguro. Son trámites que **concluirán con posterioridad a la liquidación del impuesto, pero cuya gestión, sin embargo, deberá o podrá iniciarse al mismo tiempo** que la propia liquidación del ISD.

|| El cobro de los seguros de vida

Uno de los documentos básicos que se han de obtener tras el fallecimiento de una persona, tal y como desarrollamos en su epígrafe correspondiente, es el certificado de seguros con cobertura de fallecimiento que el causante tuviese contratados y vigentes en el momento de su muerte. En él se indicarán la póliza y las entidades con las que estaban contratados, pero no los beneficiarios.

Los datos que se reflejan en el certificado están disponibles en el Registro de Contratos de Seguros de Cobertura de Fallecimiento durante un **plazo de cinco años** desde la fecha de la defunción y se cancelarán cuando se paguen los importes por la aseguradora. Sin embargo, la solicitud del certificado **solo podrá presentarse una vez transcurridos 15 días hábiles** desde la fecha del fallecimiento (excluidos, por tanto, sábados, domingos y festivos).

Esto puede plantear problemas con el hecho de que legalmente se establezca que los beneficiarios deben **comunicar a la aseguradora el fallecimiento del asegurado dentro de un plazo máximo de siete días** desde haberlo conocido, salvo que en la póliza se hubiese fijado un plazo más amplio. En caso de incumplimiento, la aseguradora podría reclamar los daños y perjuicios causados por la falta de declaración, siempre que no se demuestre que conoció la muerte por otras vías. Con todo, y dado que hay que esperar 15 días hábiles desde el fallecimiento para solicitar el certificado de seguros, en la práctica no suele haber problemas si la dilación no se produce con mala fe o culpa grave.

Aun así, para evitar cualquier inconveniente, **recomendamos que si el beneficiario sabe de la existencia del seguro comunique de inmediato el fallecimiento a la aseguradora, por escrito; en caso contrario, que los interesados soliciten el certificado sin dilación, para comprobar si existen seguros o no, y que, tras obtenerlo, se dirijan a la aseguradora para comunicarle por escrito el fallecimiento** con la misma celeridad. A tal fin, habrá que buscar los datos de contacto de la aseguradora (que figurarán en la póliza, si se dispone de ella) o bien acudir al agente de seguro o corredor que la hubiese mediado.

En este punto, conviene asimismo tener en cuenta otro plazo, puesto que el artículo 23 de la Ley 50/1980, de 8 de octubre, de contrato de seguro, especifica que la **acción para reclamar un seguro de esta clase prescribe en el plazo de cinco años**. Es decir, el plazo máximo en el que podría reclamarse frente a la aseguradora el pago de un seguro de vida será de cinco años, siempre que no exista dolo o mala fe. Además, este plazo puede interrumpirse a través de reclamaciones extrajudiciales (burofax, cartas certificadas, etc.), quedando también como último recurso la vía judicial.

Por lo tanto, tanto si se conocía la existencia del seguro desde un primer momento como si se supo de él a través del correspondiente certificado, el primer paso que tendrán que dar quienes crean que pueden tener la condición de beneficiarios, es dirigirse lo antes posible a la entidad aseguradora para comunicarle por escrito el fallecimiento. Al conocer el siniestro, la aseguradora iniciará un procedimiento en cuyo marco **los interesados tendrán que facilitar a la aseguradora la información y los documentos que le permitan valorar si existe o no derecho al cobro del seguro**.

En principio, los **documentos básicos** que las aseguradoras suelen solicitar son los siguientes:

- La copia del DNI del asegurado fallecido.
- El certificado de defunción del fallecido.
- El certificado del Registro de Actos de Última Voluntad.
- El testamento o, a falta de este, la declaración de herederos.
- Los documentos que permitan identificar a los beneficiarios, que además serán distintos según aparezcan identificados en la póliza por su nombre y apellidos o de una manera más genérica (por ejemplo, si se designa como beneficiarios a los hijos o a los herederos de manera genérica). Normalmente, habrá que aportar copia del DNI, libro de familia que acredite el parentesco, certificados de nacimiento o matrimonio, etc.
- La liquidación del Impuesto sobre Sucesiones y Donaciones, así como la acreditación de su pago.
- En algunos casos, y en función de las circunstancias que rodeen el fallecimiento, podría ser necesario presentar el historial médico completo del asegurado u otra documentación, como atestados o informes de autopsia.
- El número de cuenta del beneficiario para el cobro de la indemnización.

Así las cosas, y entre otra documentación, será necesario aportar la que acredite la presentación y, en su caso, el pago del Impuesto sobre Sucesiones y Donaciones. Y, a ese fin, la entidad aseguradora usualmente expedirá con carácter previo a los interesados un **certificado** en el que, a la vista de la documentación e información que se le haya facilitado, especifique la identidad de los beneficiarios, su derecho al cobro de la indemnización y la cuantía que les corresponda.

Por lo que se refiere al cobro en sí, la aseguradora está obligada a satisfacer la indemnización al término de las investigaciones y peritaciones necesarias para establecer la existencia del siniestro asegurado y, en su caso, el importe que proceda. En cualquier supuesto, deberá **efectuar, dentro de los 40 días siguientes, a partir de la recepción de la declaración del siniestro, el pago del importe mínimo** de lo que el asegurador pueda deber, según las circunstancias por él conocidas. Dicho importe mínimo suele estar limitado y su finalidad puede ser atender a los gastos del sepelio o proceder al pago del propio Impuesto sobre Sucesiones.

Si la aseguradora no realiza el pago en el plazo de tres meses desde el fallecimiento o no hubiese procedido al abono del importe mínimo conforme a lo antes apuntado, incurrirá en **mora** y deberá abonar una indemnización por ello, en los términos que establece el artículo 20 de la Ley de contrato de seguro. Sin embargo, este efecto no se producirá cuando la falta de pago se deba a una causa justificada o no sea imputable a la aseguradora.

CUESTIONES

1. ¿Cómo pueden estar designados los beneficiarios de un seguro de vida?

La designación del beneficiario del seguro puede hacerse en la póliza, a través de una declaración escrita posterior comunicada al asegurador o bien en testamento. A su vez, dicha designación puede realizarse de diversos modos y con mayor o menor concreción, por lo que el artículo 85 de la Ley de contrato de seguro prevé una serie de normas específicas:

- En el caso de que se designen como beneficiarios los hijos de una persona de manera genérica, se entenderán como hijos todos sus descendientes con derecho a herencia.

- Si la designación se hace en favor de los herederos del tomador del seguro, del asegurado o de otra persona, se considerarán como tales los que tengan dicha condición en el momento del fallecimiento del asegurado.

- Cuando la designación se haga en favor de los herederos sin mayor especificación, se entenderá referida a los del tomador del seguro que tengan tal condición en el momento de la muerte del asegurado.

- La designación del cónyuge como beneficiario atribuirá tal condición al que lo sea en el momento del fallecimiento del asegurado.

Por otra parte, si en el momento del fallecimiento del asegurado no hubiese beneficiario concretamente designado, ni reglas para su determinación, el capital formará parte del patrimonio del tomador.

2. ¿Cómo se repartirá el importe de la prestación correspondiente al seguro si son varios los beneficiarios?

Si la designación se hace en favor de varios beneficiarios, la prestación se dividirá por partes iguales, salvo estipulación en contrario. Cuando se haga en favor de los herederos, la distribución tendrá lugar en proporción a la cuota hereditaria, salvo pacto en contrario. Además, la parte no adquirida por un beneficiario acrecerá a los demás.

3. ¿Puede revocarse o cambiarse la designación de beneficiario?

El tomador del seguro puede revocar la designación del beneficiario en cualquier momento, mientras no haya renunciado expresamente y por escrito a tal facultad. En caso de hacerse, la revocación tendrá que revestir la misma forma establecida para la designación.

4. Si una persona es beneficiaria del seguro de vida del causante y, a su vez, heredero en su sucesión, ¿pierde el derecho a cobrar el seguro si renuncia a la herencia?

No, el artículo 85 de la Ley de contrato de seguro establece expresamente que los beneficiarios que sean herederos conservarán dicha condición, aunque renuncien a la herencia.

|| El reparto y la adjudicación de los bienes hereditarios

Cuando toda la herencia corresponde a **un único heredero, este podrá aceptarla y adjudicársela sin mayores complicaciones**. Necesitará la documentación básica recopilada conforme a lo expuesto en los anteriores apartados de esta guía, así como la acreditativa de la liquidación y el pago del Impuesto sobre Sucesiones, para poder realizar el cambio de titularidad ante el registro de la propiedad u otros organismos que puedan proceder (por ejemplo, el Catastro en el caso de bienes inmuebles o la Dirección General de Tráfico en el caso de vehículos). En principio, en estos casos no será necesaria la intervención del notario, bastando con una instancia o documento con la firma del heredero legitimada ante notario o ante el registrador, en el que se especifiquen las circunstancias del fallecimiento, los bienes que integren el caudal hereditario y se acepte la herencia.

Sin embargo, **si son varias las personas llamadas a una misma herencia a título universal y estas la aceptan**, tal y como ya se expuso al tratar los principales conceptos de derecho sucesorio, surge una situación transitoria de **comunidad hereditaria, que se mantendrá hasta la adjudicación de los bienes y derechos concretos a los herederos**. Habrá que llevar a cabo, por tanto, la partición de la herencia.

La **partición de la herencia** es aquel acto o negocio jurídico que pone fin al estado de indivisión y a la comunidad hereditaria, atribuyendo bienes y derechos singulares a los coherederos. Comprende las operaciones básicas de inventario, avalúo, liquidación, división y adjudicación; y puede ser de varios tipos:

- Partición judicial.
- Partición extrajudicial, que, a su vez, puede ser:
  » Hecha por el propio testador.
  » Hecha por el comisario o contador partidor testamentario.
  » Hecha por los coherederos.
  » Hecha por el contador partidor dativo.
- Partición arbitral.

Para el estudio en profundidad de cada una de estas modalidades de partición, así como para el resto de las cuestiones ligadas a ella (plazos, efectos, posibilidades de nulidad, rescisión o modificación de particiones efectuadas...) nos remitimos al epígrafe correspondiente de la primera parte de esta obra.

Sin embargo, y a modo de resumen, considérese el siguiente esquema básico:

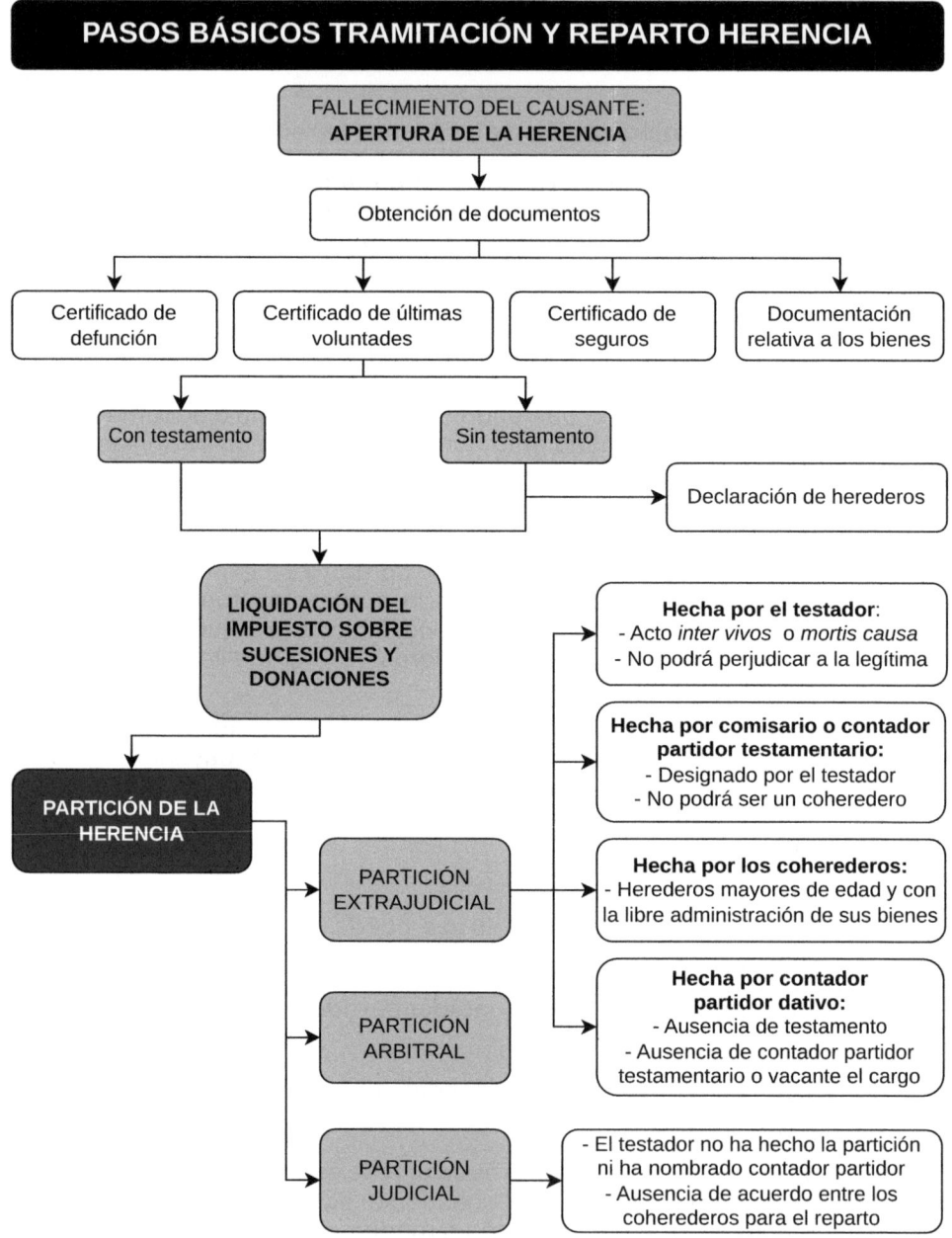

PASOS BÁSICOS TRAMITACIÓN Y REPARTO HERENCIA

FALLECIMIENTO DEL CAUSANTE: **APERTURA DE LA HERENCIA**

Obtención de documentos

Certificado de defunción

Certificado de últimas voluntades

Certificado de seguros

Documentación relativa a los bienes

Con testamento

Sin testamento

Declaración de herederos

LIQUIDACIÓN DEL IMPUESTO SOBRE SUCESIONES Y DONACIONES

PARTICIÓN DE LA HERENCIA

PARTICIÓN EXTRAJUDICIAL

PARTICIÓN ARBITRAL

PARTICIÓN JUDICIAL

Hecha por el testador:
- Acto *inter vivos* o *mortis causa*
- No podrá perjudicar a la legítima

Hecha por comisario o contador partidor testamentario:
- Designado por el testador
- No podrá ser un coheredero

Hecha por los coherederos:
- Herederos mayores de edad y con la libre administración de sus bienes

Hecha por contador partidor dativo:
- Ausencia de testamento
- Ausencia de contador partidor testamentario o vacante el cargo

- El testador no ha hecho la partición ni ha nombrado contador partidor
- Ausencia de acuerdo entre los coherederos para el reparto

‖ **Especial referencia a los trámites bancarios y el dinero existente en las cuentas del fallecido**

Cuando fallece el titular de una cuenta bancaria, **el saldo que en ella existiera a fecha de fallecimiento pasará a formar parte de su herencia**, como el resto de sus bienes y derechos.

Habrá que acudir a las entidades financieras para obtener un **certificado que acredite el saldo de la cuenta a fecha de fallecimiento**, así como el estado de préstamos o deudas que pudiesen existir con el banco. Sin embargo, si no se sabe a ciencia cierta a qué entidad debe acudirse, lo más fiable es que el heredero se dirija a la Administración tributaria, que tiene información sobre los rendimientos financieros que se le hubiesen imputado, comunicados por la entidad o entidades que correspondan.

Las entidades financieras no pueden cobrar por la emisión del certificado que especifique las posiciones bancarias a la fecha de la defunción, puesto que se trata de un documento necesario para que puedan cumplir con su obligación legal de liquidar el Impuesto sobre Sucesiones y Donaciones.

Por otra parte, los herederos también tendrán **derecho a conocer los movimientos realizados en la cuenta con posterioridad al fallecimiento del titular**. Y, además, según las buenas prácticas bancarias, también deben facilitársele los correspondientes al año anterior.

Como regla general, tras el fallecimiento del titular de una cuenta bancaria solo podrán llevarse a cabo las **disposiciones de dinero que se autoricen por todos los coherederos**, las que sirvan para **pagar los gastos funerarios o de sepelio**, así como las **autorizadas por el titular fallecido con anterioridad a su muerte y que respondan al mantenimiento del caudal hereditario**, cuya devolución podría implicar recargos e inconvenientes innecesarios, salvo que exista orden expresa en contrario dada por todos los coherederos (por ejemplo, los recibos de pago de impuestos, seguros, suministros eléctricos, telefonía, etc.).

Ahora bien, a este respecto conviene tener en cuenta que el fallecido podía no ser el único titular de la cuenta bancaria en el momento de su fallecimiento, lo que supone distinguir, tal y como indica el Banco de España:

- Si el fallecido era el único titular, caso en que será necesaria la autorización de todos los herederos para la disposición, salvo lo antes indicado en cuanto al abono de los gastos de sepelio y de los recibos domiciliados.

- Si la cuenta era conjunta o mancomunada, al fallecer uno de los titulares el resto no podrán disponer del dinero que hay en ella, salvo que tengan el consentimiento expreso de todos los herederos del fallecido.

- Si la cuenta era indistinta, esto es, si permitía a los titulares disponer del dinero de manera solidaria con una sola firma, el titular que sobreviva podrá seguir disponiendo del dinero aun tras la muerte de otro de los titulares. Ahora bien, al morir uno de los cotitulares entran en juego las disposiciones civiles que regulan la sucesión del causante, por lo que el otro u otros cotitulares que sobrevivan dejarán de tener la facultad de disposición sobre la parte del saldo de la cuenta correspondiente al fallecido, que deberá integrarse en su caudal hereditario y pasar a sus herederos o legatarios. La entidad bancaria, normalmente, podría bloquear la cuenta en cuanto a esa parte de los fondos, aunque no tiene por qué presumir qué parte del saldo pertenecía al causante y cuál al resto de titulares, por lo que también podría permitir la disposición, que, de estar indebidamente realizada, supondría la posibilidad de que los herederos exigiesen responsabilidad al disponente. Con todo, en aquellos casos en los que el contrato suscrito contenga una previsión expresa en cuanto a las facultades de disposición y la propiedad de los fondos para el caso de fallecimiento de un titular, será esa la que resulte de aplicación.

En principio, **cuando son varios los titulares de una cuenta bancaria, suele entenderse que son propietarios por partes iguales del saldo** en ella existente. Sin embargo, lo cierto es que **la propiedad de los fondos vendrá determinada por las relaciones internas entre los distintos titulares y, más en concreto, por la pertenencia originaria del dinero con el que se nutra la cuenta bancaria**, una cuestión que deberá ser probada de manera fehaciente por quien quiera hacer valer dicho derecho frente a terceros. Es decir, aunque el causante fuese titular de la cuenta con otra persona, podría sostenerse que todo el dinero depositado en ella pertenecía al fallecido si, por ejemplo, puede demostrarse que la única fuente de la que se nutría la cuenta era su pensión de jubilación.

Finalmente, debemos apuntar también que las entidades financieras podrán exigir, con carácter previo a la disposición del saldo de la cuenta bancaria, que los herederos justifiquen que han liquidado y, en su caso, pagado, el Impuesto sobre Sucesiones y Donaciones.

CUESTIONES

1. ¿Qué sucede con los autorizados de una cuenta bancaria tras la muerte del titular?

El poder de disposición que sobre el saldo de la cuenta tuviesen los autorizados desaparece en el momento en que fallece el titular. No podrán utilizarlo con posterioridad.

2. Tras el fallecimiento del titular de la cuenta bancaria, ¿se siguen cobrando en ella los recibos que estuviesen domiciliados, como los de suministros de agua o electricidad?

Por regla general, en el caso de que fallezca el titular de una cuenta bancaria, pueden seguir cargándose en la cuenta los recibos que tuviese domiciliados en ella, como los correspondientes a suministros de agua, electricidad o gas, recibos del IBI, etc. Ahora bien, estos cargos solo podrán realizarse si no existe una orden expresa en contrario dada por los coherederos y siempre que se trate de operaciones ordenadas en vida por el causante que impliquen el mantenimiento del caudal hereditario. No en vano, de no atenderse tales gastos, ello podría suponer recargos e inconvenientes para la herencia.

3. ¿El banco puede bloquear la cuenta del fallecido?

Sí, en ciertos casos, la entidad financiera puede bloquear la cuenta bancaria de la que era titular el fallecido, si el contrato así lo contemplase o estallase un conflicto entre los titulares sobrevivientes y los herederos del fallecido. Eso sí, tendría que informar previamente a los interesados.

4. ¿Puede disponerse de dinero de la cuenta bancaria del fallecido para el pago de los gastos de entierro o funeral?

Antes de que se haya realizado la partición y adjudicación de la herencia, en principio, los bancos no deben permitir la disposición del saldo de la cuenta del fallecido, salvo que exista autorización de todos los herederos o que se trate de dinero destinado a pagar los gastos de sepelio y funerales del causante.

3.3. Breve referencia a la «plusvalía municipal» si la herencia incluye inmuebles urbanos

¿Cuándo hay que pagar la «plusvalía» si se adquieren bienes como consecuencia de la muerte de una persona?

El **Impuesto sobre el Incremento de Valor de los Terrenos de Naturaleza Urbana (IIVTNU)** o «plusvalía municipal» es un **tributo directo que debe pagarse como consecuencia del incremento de valor que experimenten los terrenos urbanos y que se ponga de manifiesto cuando se transmite su propiedad** (por ejemplo, a través de herencia) **o cualquier derecho real de goce sobre ellos**. Se encuentra regulado en los artículos 104 y siguientes del Real decreto legislativo 2/2004, de 5 de marzo, por el que se aprueba el texto refundido de la Ley Reguladora de las Haciendas Locales (en adelante, LRHL).

A modo de aproximación, podemos decir que deben darse **dos condiciones simultáneas** para que surja la obligación de pagar este impuesto:

- Que se produzca un **incremento del valor de terrenos que tengan la consideración de urbanos a los efectos del IBI** (Impuesto sobre Bienes Inmuebles), con independencia de que estén o no contemplados como tales en el Catastro o en el padrón. Asimismo, también estará sujeto a la «plusvalía» el aumento de valor que experimenten los terrenos integrados en los inmuebles clasificados como de características especiales a efectos del IBI. Sin embargo, **quedan excluidos del ámbito de aplicación de este impuesto los inmuebles que tengan la consideración de rústicos a efectos del IBI.**

- Que ese **incremento se ponga de manifiesto como consecuencia de una transmisión de esos inmuebles o de la constitución o transmisión de derechos reales sobre ellos**, incluyéndose aquellos casos en los que la transmisión se produce a título oneroso (mediando contraprestación o precio) y a título gratuito o lucrativo (es decir, sin pago de ninguna contraprestación a cambio de la adquisición, tal y como sucedería en el caso de las herencias).

Ahora bien, **no existirá sujeción a este impuesto** (no se pagará) en las transmisiones de terrenos con respecto a los cuales se constate que no existe incremento de valor por diferencia entre los valores de dichos terrenos en las fechas de transmisión y adquisición. Es decir, cuando **se demuestre que**

el inmueble urbano que se adquiere por herencia no se revalorizó en el período de tiempo transcurrido desde que el causante lo adquirió para sí hasta su posterior transmisión como consecuencia de su muerte. El interesado en demostrar que no existe tal incremento de valor tendrá que declarar la transmisión y aportar los títulos que documenten la transmisión y la adquisición; y, en particular, se aplicarán las siguientes reglas:

- Como valor de transmisión o de adquisición del terreno se tomará, en cada caso, el mayor de los siguientes valores sin que, a estos efectos, puedan computarse los gastos o tributos que graven esas operaciones: el que conste en el título que documente la operación o el comprobado, en su caso, por la Administración tributaria.

- Cuando se trate de la transmisión de un inmueble en el que haya suelo y construcción, se tomará como valor del suelo, a estos efectos, el que resulte de aplicar la proporción que represente el valor catastral del terreno respecto del valor catastral total, y esta proporción se aplicará tanto al valor de transmisión como, en su caso, al de adquisición.

- Al tratarse de una adquisición de un inmueble por herencia, por el primero de los dos valores a comparar que se acaban de señalar se tomará el declarado en el Impuesto sobre Sucesiones.

> **A TENER EN CUENTA**. En la posterior transmisión de los inmuebles con respecto a los cuales se constatase esta inexistencia de incremento de valor, para el cálculo del número de años a lo largo de los cuales se ha puesto de manifiesto el incremento de valor de los terrenos no se tendrá en cuenta el período anterior a su adquisición (excepto en ciertos supuestos de transmisiones no sujetas al impuesto).

Por otra parte, la LRHL establece una serie de exenciones (supuestos en los que se exime del pago). Quedarían exentas, por ejemplo, las transmisiones de bienes integrados dentro del perímetro delimitado como conjunto histórico-artístico o declarados individualmente de interés cultural en ciertos supuestos; o los incrementos de valor en los que la obligación de satisfacer el IIVTNU recaiga sobre ciertos entes como el Estado, las comunidades autónomas y entidades locales o instituciones benéficas, entre otras.

Además, desde marzo de 2022, tampoco habrá que pagar el impuesto cuando la transmisión del inmueble se produzca por causa de muerte de una mujer fallecida como consecuencia de violencia de género, si quien lo adquiere es un hijo o hija, menor o persona con discapacidad con medidas de apoyo.

¿Quién tendrá que pagarlo, en qué plazo y dónde?

Cuando los inmuebles urbanos se adquieren como consecuencia de la muerte de una persona, a través de su herencia, la «plusvalía municipal» **se devenga en la fecha de la transmisión** y el **adquirente del inmueble urbano (heredero o legatario)** será quien deba pagarla y cumplir con las obligaciones a ella asociadas.

La base imponible del impuesto vendrá dada por el incremento del valor de los inmuebles urbanos puesto de manifiesto en el momento del devengo y experimentado a lo largo de un período máximo de 20 años, y se determinará en la forma que regula la LRHL. En principio, multiplicando el valor del terreno en el momento del devengo (normalmente el que tenga determinado a efectos del IBI, aunque con particularidades en ciertos casos y posibilidad de que existan coeficientes reductores) por el coeficiente que corresponda al período de generación (que será el número de años a lo largo de los cuales se haya puesto de manifiesto el incremento de valor). No obstante, cuando, a instancia del sujeto pasivo, se constate que el importe del incremento de valor es inferior a la base imponible determinada según lo señalado, se tomará como base imponible el importe de dicho incremento de valor. Por su parte, el **tipo de gravamen será el que fije cada ayuntamiento**, sin que pueda exceder del 30 %.

La «plusvalía municipal» es un impuesto que **se debe liquidar ante el ayuntamiento de la localidad donde esté situado el inmueble urbano** de que se trate en el **plazo de seis meses (prorrogables hasta un año** a solicitud del interesado).

Las **ordenanzas fiscales de cada ayuntamiento pueden regular ciertos aspectos relativos a la «plusvalía» de manera particular** (por ejemplo, estableciendo bonificaciones dentro de determinados límites para las adquisiciones por causa de muerte por parte de descendientes, cónyuges o ascendientes). Por ello, no entraremos más en detalle en el análisis de esta figura impositiva, al margen de señalar que la LRHL establece, con carácter general, que el sujeto obligado habrá que presentar la correspondiente declaración del impuesto en el ayuntamiento que proceda (que luego será quién efectúe los cálculos), aunque también es posible que a través de la correspondiente ordenanza fiscal el ayuntamiento haya establecido un sistema de autoliquidación en ciertos casos.

Sea como fuere, a fin de conocer las concretas condiciones aplicables en cada ayuntamiento, recomendamos acudir al mismo o bien consultar su sede electrónica o página web.

CUESTIÓN

Antes de transcurridos seis meses desde el fallecimiento de un causante, sus dos hijos ya han liquidado el Impuesto sobre Sucesiones por la herencia, y repartido y adjudicado los bienes correspondientes a cada uno ante notario. Entre los bienes heredados había dos inmuebles urbanos por cuya adquisición tendrían que tributar a través de la «plusvalía municipal»; pero no quieren hacerlo, así que se preguntan si el ayuntamiento podría enterarse de algún modo de que se produjo la transmisión a su favor.

Los notarios están obligados a remitir al ayuntamiento correspondiente, dentro de la primera quincena de cada trimestre, una relación o índice con todos los documentos que hayan autorizado (como sería, en este caso, la escritura de adjudicación de herencia) en los que se contengan hechos, actos o negocios jurídicos que pongan de manifiesto la realización del hecho imponible del IIVTNU, salvo los actos de última voluntad. En los mismos términos, también tendrán que remitir la relación de documentos privados que, con ese contenido, se les hayan presentado para conocimiento o legitimación de firmas. Y, todo ello, con indicación de la referencia catastral de los inmuebles objeto de transmisión.

Así lo establece el artículo 110.7 de la LRHL, que también señala que el notario deberá advertir expresamente a quienes comparezcan sobre el plazo dentro del cual tendrán que presentar la declaración por la «plusvalía municipal» y las responsabilidades en que pueden incurrir si no lo hacen.

4.
LA LIQUIDACIÓN DEL IMPUESTO SOBRE SUCESIONES Y DONACIONES

La presentación del ISD en su modalidad de sucesiones

A la hora de proceder a la liquidación del Impuesto sobre Sucesiones y Donaciones, que es el que se tiene que pagar cuando se adquieren bienes de una persona fallecida, lo que se conoce como transmisión *mortis causa,* hay una serie de pasos previos a realizar para que, en el momento de llevar a cabo su cumplimentación o ponerse en manos de un profesional, todo sea mucho más sencillo y rápido.

4.1. Paso previo: documentación necesaria para la presentación del ISD

¿Qué documentación se necesita para presentar la liquidación del ISD?

Como primer paso de cara a la liquidación del impuesto, será necesario recabar la distinta documentación que se precise a ese efecto. En términos generales, será necesaria, al menos, la siguiente:

- **Fotocopias de los DNI del fallecido y de los sujetos pasivos**.
- Copia autorizada del **testamento** o testimonio de la **declaración de herederos en caso de no existir testamento.** En el caso de sucesión intestada, si no estuviese hecha la declaración de herederos, se presentará una relación de los presuntos con expresión de su parentesco con el causante.
- Original y copia simple de la **escritura de aceptación de herencia**. En su defecto, el **inventario de bienes y herederos**, por duplicado, en el que se señalen los datos identificativos del causante y los herederos, la designación de un domicilio a efectos de notificaciones, relación detallada de los bienes y derechos objeto de la herencia con expre-

sión del valor de los mismos a la fecha de fallecimiento, así como de las cargas, deudas y gastos cuya deducción se solicita.

- En caso de **renuncia**, documento notarial en el que conste.
- Copia del **certificado de defunción**.
- Copia del **certificado de actos de última voluntad**.
- **Poder de representación** —obligatorio en el caso de sujetos pasivos no residentes—, pueden utilizar el «Modelo de representación en los procedimientos iniciados a instancia de los contribuyentes» disponible en la AEAT, que deberá ser aportado junto con la autoliquidación. En la representación deberá hacerse constar expresamente, que la misma faculta para actuar ante la Administración Tributaria en relación con todas sus obligaciones por el Impuesto de Sucesiones y Donaciones.

Además, en su caso, deberá aportarse:

- Copia del **certificado de seguros de vida**.
- En caso de **discapacidad** de algún heredero, fotocopia del certificado acreditativo del grado de discapacidad.
- **Bienes inmuebles.** Además de la copia del recibo del IBI y de su título de adquisición (normalmente, la escritura) o, en su defecto, nota simple registral:
  - » **Certificado de valor de referencia.** Para bienes sobre los que se encuentre disponible, y únicamente para hechos imponibles producidos a partir del 1 de enero de 2022.
  - » **Bienes sin valor de referencia:**
    - ◆ **Certificado negativo de valor de referencia,** emitido por el Catastro. Alguno de los siguientes documentos acreditativos:
    - ◆ Informe de Precio Medio de Mercado junto con certificado catastral.
    - ◆ Informe de valoración previa emitido por los Servicios de Valoración.
    - ◆ **Documento acreditativo de la referencia catastral del inmueble,** en defecto de alguno de los anteriores. Puede obtenerse de forma libre y gratuita en la sede electrónica del Catastro.
    - ◆ En caso de **fincas rústicas** que carezcan de certificado catastral, se deberán identificar de la siguiente manera: municipio, polígono, parcela, superficie, cultivo y valor declarado.
- **Vehículos**: ficha técnica, permiso de circulación, valor del vehículo y documento acreditativo para la Jefatura de Tráfico.
- Para **cuentas bancarias, depósitos u otros valores**: certificado o extracto bancario con expresión de los saldos de las cuentas y/o valores depositados, a la fecha de fallecimiento; justificación documental del valor teórico de las participaciones o acciones que no coticen en bolsa.
- Fotocopia de las facturas de **gastos** (entierro y última enfermedad) y justificación documental de las cargas, gravámenes y gastos deducibles, así como de las **deudas** del fallecido.

- Para **pólizas de seguros**: copia del certificado de la compañía de seguros especificando cantidad, beneficiario y fecha de efecto.

‖ ¿Cómo conseguir la documentación?

Es cierto que la documentación a conseguir es múltiple. No obstante, hay que tener en cuenta que mucha de ella se irá adquiriendo durante los días o semanas posteriores al fallecimiento del causante, ya que habitualmente en la práctica, **desde la propia funeraria se facilitarán algunos de los documentos acreditativos del fallecimiento**, con los que se podrán solicitar los restantes, así como la justificación de los **gastos de entierro y funeral**.

En el epígrafe referido a la documentación ya se hizo referencia a los pasos para obtener algunos de los documentos clave o que pueden plantear más dudas. Por lo demás, en cuanto a la documentación referida a **tributos, tasas o cualquier otro documento emitido por un organismo público**, el interesado podrá optar por dirigirse directamente a ellos y solicitar cuanta información precise. En concreto, tratándose de documentos que obren en poder de la Administración, cabrían dos vías:

- Acudir a la **oficina** correspondiente del ayuntamiento o diputación, comunidad autónoma o Estado (Hacienda local, Jefatura Provincial de Tráfico, Administración tributaria de la comunidad autónoma, Oficina de la Agencia Estatal de Administración Tributaria, etc.; ahí entraría en juego a qué nivel de la organización territorial pertenezca el órgano administrativo al que haya que dirigirse). Y, mediante la aportación del certificado de defunción, fotocopia del DNI del fallecido y del solicitante y documentación acreditativa de la condición de heredero (testamento, declaración de herederos), podrá requerirse toda la información que se estime para cumplir con las restantes obligaciones, tanto de la persona fallecida como las propias.

- En segundo lugar, también puede solicitarse la información a través de la **sede electrónica** del organismo competente. Esta sería, sin duda, la vía más recomendable de cara a agilizar las gestiones, ya que en no pocas ocasiones las citas presenciales podrían demorarse.

A modo de ejemplo, si no se dispone de los recibos de pago del IBI, habría que acudir a la oficina del ayuntamiento de la localidad que corresponda para solicitar copia del último o últimos recibos. O, en caso de querer solicitar el certificado de discapacidad del fallecido, por haberlo perdido, debería acudirse a la Jefatura territorial de la Consejería de Política Social de nuestra localidad y solicitarlo; si bien se recomienda, por su agilidad, realizar estos trámites por vía telemática, ya que la remisión del certificado está automatizada y se consigue en un plazo muy corto de tiempo.

Este trámite para conseguir toda la documentación necesaria puede ser laborioso, pero conseguirla va a ayudarnos a que el proceso posterior de declaración del impuesto sea mucho más llevadero y, en caso de que la Administración pretenda requerirnos o comprobar algo de la autoliquidación o declaración presentada, que podamos disponer de todos los justificantes necesarios para evitar sorpresas en el futuro.

A TENER EN CUENTA. Si los documentos están expedidos por funcionarios o autoridades extranjeras, tienen que venir con la Apostilla de la Haya y traducción jurada. Cuando se disponga de un certificado sucesorio europeo, acreditativo de la condición de heredero o legatario, podrá aportarse copia auténtica de éste en lugar del certificado y del testamento o declaración de heredero. Si el certificado está redactado en idioma distinto al castellano, deberá acompañarse de traducción.

4.2. El inventario y la valoración de los bienes en el impuesto

¿Por qué porción tributará cada heredero o legatario en el Impuesto sobre Sucesiones?

El artículo 9 de la Ley del Impuesto sobre Sucesiones y Donaciones (LISD) establece, en concreto, que la base imponible del impuesto en las transmisiones *mortis causa* será «*el valor neto de la adquisición individual de cada causahabiente, entendiéndose como tal el valor de los bienes y derechos minorado por las cargas y deudas que fueren deducibles*». Por lo tanto, **cada heredero o legatario tendrá que tributar en el impuesto por el valor neto de su adquisición individual**.

Para determinar a cuánto asciende la adquisición individual de cada interesado, los pasos básicos a seguir serían los siguientes:

- Primero, habrá que determinar el **caudal hereditario bruto**. Estará integrado por los bienes que formen parte de la herencia del fallecido conforme a la normativa civil, el ajuar doméstico y los bienes que deban adicionarse por aplicación de la normativa tributaria. Y es que, junto con los bienes y derechos que conformen el patrimonio del causante en sentido estricto, también han de considerarse otros, como serían el ajuar doméstico (luego nos referiremos a él) y los bienes adicionales (en ciertas circunstancias, algunos bienes que el causante hubiera transmitido o vendido poco antes de su muerte también deben tenerse en cuenta para calcular la cuota de cada sucesor, como si formasen parte de la herencia).

- Luego, se determinará el **caudal hereditario neto**, restando del caudal hereditario bruto el pasivo (formado por las cargas, deudas y gastos deducibles).

- En tercer lugar, habrá que determinar la **porción hereditaria individual de cada heredero o legatario**. Se aplicarán al caudal hereditario neto las disposiciones recogidas en el testamento o, en su defecto, las normas que hayan de regir la sucesión intestada para fijar la cuota hereditaria individual de cada sujeto pasivo.

- Finalmente, y en su caso, habrá que añadir los seguros de vida y que acumular las donaciones y/o pactos sucesorios que puedan proceder:
  - » En el caso de los seguros, cada beneficiario tributará por las cantidades que perciba del seguro. Las cantidades cobradas del seguro de vida se liquidarán en el impuesto acumulando su importe al del resto de bienes y derechos que integren la porción hereditaria del beneficiario, en caso de que, además de beneficiario del seguro, el sujeto sea también heredero y/o legatario.
  - » En cuanto a la acumulación de donaciones y/o pactos sucesorios, si el causante hubiera realizado disposiciones a favor de algún heredero o legatario en vida, a través de pactos sucesorios o donaciones en los cuatro años anteriores al fallecimiento, se acumulará a la base de la herencia el valor de esas disposiciones. Ahora bien, esa acumulación solo se realizará a efectos de determinar la cuota tributaria.

En realidad, cuando se cumplimenta el formulario por vía electrónica, la mayoría de estas operaciones las realiza el propio programa o aplicación informática, siendo únicamente necesario introducir las circunstancias concretas del supuesto (por ejemplo, la identificación y valor de los bienes, las atribuciones que para cada heredero o legatario establece el testamento, etc.). La cumplimentación del formulario se abordará en otro apartado de esta guía, por lo que ahora nos limitaremos a estudiar los aspectos básicos para realizar adecuadamente las mencionadas operaciones:

- La valoración de los bienes y derechos de la herencia.
- Las deudas, cargas y gastos deducibles.
- La adición o inclusión de bienes que se ha de realizar en ciertos supuestos (los denominados «bienes adicionables»).
- El ajuar doméstico.

La valoración de los bienes y derechos en el Impuesto sobre Sucesiones

Evidentemente, como paso previo para la valoración de los bienes hereditarios, será necesario que, tras reunir toda la documentación necesaria, se establezca un **inventario con todos los bienes, derechos y deudas** que integran la herencia. Se trata de una cuestión importante de cara a evitar las posibles sanciones que puedan imponerse por omitir bienes o derechos que pertenecían a la persona fallecida y de los que no se tenía conocimiento. La propia normativa permite «volver a liquidar el Impuesto sobre Sucesiones» cuando aparezcan, como decimos, bienes o derechos de los que, en el momento de realizar la primera declaración, no se tenía constancia.

Una vez identificados los bienes y derechos que conforman la herencia, deberá procederse a su valoración a efectos del impuesto. Como regla general, la normativa del ISD establece que dicha valoración se realizará **a valor de mercado, salvo que resulten de aplicación las reglas especiales de valoración** que se establecen para determinados bienes.

En el caso de la valoración a valor de mercado, se considerará como tal el precio más probable por el cual podría venderse un bien, libre de cargas, entre partes independientes. Sin embargo, si el valor declarado por los interesados en el impuesto es superior al valor de mercado, será esa magnitud la que se considerará como base imponible.

a. La valoración de los bienes inmuebles

Los bienes inmuebles se valorarán por su **valor de referencia** a la fecha de devengo del impuesto (que se producirá el día del fallecimiento o aquel en el que adquiera firmeza la declaración de fallecimiento). El valor de referencia es un valor que **se determina para cada inmueble por la Dirección General del Catastro** de manera objetiva y con el límite del valor de mercado, considerando los datos obrantes en el Catastro y los precios comunicados por los notarios en las compraventas.

Ahora bien, si el **valor del bien inmueble declarado por los interesados es superior** a su valor de referencia, se tomará aquel como base imponible.

Cuando **no exista valor de referencia o este no pueda ser certificado** por la Dirección General del Catastro, la base imponible, sin perjuicio de la comprobación administrativa, será el mayor de los siguientes importes:

- El valor declarado por los interesados.
- El valor de mercado.

> **A TENER EN CUENTA**. A falta de valor de referencia, las agencias tributarias autonómicas suelen facilitar a través de sus páginas web o de sus servicios de valoración una valoración previa del inmueble que podría servir de cara a la liquidación del impuesto.

b. La valoración de las acciones o participaciones de sociedades no cotizadas

En el caso de acciones o participaciones en sociedades no cotizadas, como la normativa del ISD no establece una regla específica, normalmente se acude a las normas de valoración del Impuesto sobre el Patrimonio. Así, como regla general, su valoración se realiza por el valor teórico resultante del último balance aprobado, siempre que ese balance hubiera sido auditado. A falta de balance auditado o si la auditoría no fuera favorable, la valoración se hará por el mayor de los siguientes valores:

- El valor nominal.
- El valor teórico resultante del último balance aprobado. El valor teórico se calcula dividiendo el patrimonio neto de la empresa entre el número de acciones o participaciones.
- El que resulte de capitalizar al tipo del 20 % el promedio de los beneficios de los tres ejercicios sociales cerrados con anterioridad a la fecha del devengo del impuesto.

CUESTIÓN

Fallece el socio único de una empresa que se constituyó con un capital social de 20.000 euros en acciones de 1 euro de valor nominal. Dicha entidad no cotizaba en bolsa ni tiene sus cuentas auditadas. A fecha de fallecimiento del socio, 1 de enero de 2026, el patrimonio neto de la sociedad, comprobado y aprobado, era de 120.000 euros y había obtenido unos beneficios de 30.000, 24.000 y 45.000 euros en los ejercicios 2023, 2024 y 2025, respectivamente. ¿Qué valor debe poner el hijo, heredero único, en su Impuesto sobre Sucesiones para las acciones heredadas?

Debe ponerse el mayor de los tres valores: nominal, teórico o el valor que resulte de capitalizar al tipo del 20 % el promedio de los beneficios de los tres ejercicios sociales cerrados.

Valor nominal: 1 euro por acción, 20.000 euros en total.

Valor teórico: 120.000 euros / 20.000 acciones = 6 euros por acción. Total de 120.000 euros.

Promedio de los ejercicios 2023, 2024 y 2025: (30.000 + 24.000 + 45.000) / 3 = 33.000 euros. Capital al 20 % significa multiplicar por 100 y dividir por 20, es decir, multiplicar por 5. Valor total del promedio = 165.000 euros. Valor de 8,25 euros por acción.

Por tanto, deberá consignar el valor calculado conforme a la capitalización al 20 % del promedio de los últimos tres ejercicios, es decir, 165.000 euros.

‖ Deudas, cargas y gastos deducibles

En las adquisiciones por causa de muerte, únicamente **serán deducibles las cargas o gravámenes de naturaleza perpetua, temporal o redimible que aparezcan directamente establecidas sobre los bienes y disminuyan realmente su capital y valor**, como los censos y las pensiones, sin que merezcan tal consideración las que constituyan obligación personal del adquiriente ni las que, como las hipotecas y las prendas, no supongan disminución del valor de lo transmitido, sin perjuicio de que las deudas que garanticen puedan ser deducidas si concurren los requisitos que analizaremos a continuación.

Por cuanto se refiere a la **deducción de las deudas del causante**, además de las reconocidas en sentencia judicial firme, podrán deducirse las demás que dejase contraídas siempre que su existencia se acredite por documento público, o por documento privado que reúna los requisitos del artículo 1227 del CC, o se justifique de otro modo la existencia de aquéllas, salvo las que lo fueren a favor de los herederos o de los legatarios de parte alícuota y de los cónyuges, ascendientes, descendientes o hermanos de aquéllos aunque renuncien a la herencia. La Administración podrá exigir que se ratifique la existencia de la deuda en documento público por los herederos con la comparecencia del acreedor.

En especial, serán deducibles las cantidades que adeudare el causante por razón de tributos del Estado, de comunidades autónomas o de corporaciones locales o por deudas de la Seguridad Social y que se satisfagan por los herederos, albaceas o administradores del caudal hereditario, aunque correspondan a liquidaciones giradas después del fallecimiento.

Por lo demás, para la deducción de las **deudas del causante que se pongan de manifiesto después de ingresado el ISD**, se seguirá el siguiente procedimiento:

- La deducción se hará efectiva mediante la devolución, sin intereses de demora, de la parte del impuesto que corresponda a la deuda no deducida, entendiéndose por tal la diferencia entre la cantidad ingresada y la que se habría ingresado si al practicar la liquidación o autoliquidación se hubiese deducido el importe de la deuda.

- Deberá presentarse un escrito ante la oficina que hubiese practicado la liquidación o tramitado la autoliquidación solicitando la rectificación, acompañado de los documentos acreditativos de la deuda.

- El órgano competente determinará si debe estimarse o no la devolución por la deducción no practicada.

Ahora bien, este procedimiento no será aplicable cuando hubiesen transcurrido cinco años desde la fecha de expiración del plazo de presentación a liquidación del documento, declaración o declaración-liquidación o cuando se trate de liquidaciones administrativas firmes de carácter definitivo.

Por último, se considerarán **gastos deducibles**:

- Los gastos que, cuando la herencia se lleve a juicio, **se ocasionen en el litigio en interés común de todos los herederos por la representación legítima** de la testamentaría o el *ab intestato*, siempre que resulten debidamente probados con testimonio de los autos; y los de arbitraje, en las mismas condiciones, acreditados por testimonio de las actuaciones.

- Los **gastos de última enfermedad** satisfechos por los herederos, en cuanto se justifiquen.

- Los **gastos de entierro y funeral**, en cuanto se justifiquen y hasta donde guarden la debida proporción con el caudal hereditario, conforme a los usos y costumbres de cada localidad. Es decir, no puede pretenderse justificar un gasto de entierro y funeral de 40.000 euros, cuando se heredan 50.000 euros y el gasto medio por entierro y funeral en la localidad es de 3.000 euros.

No serán deducibles los gastos que tengan su causa en la administración del caudal hereditario.

CUESTIONES

1. Una persona fallece en febrero de 2025, siendo su única hija la heredera de todos sus bienes y derechos. Dicha persona tenía una deuda con un tercero, quien, tras la aceptación de la herencia reclama el pago a la heredera. Esta decide cancelar la deuda mediante la cesión de un inmueble de la herencia de su padre. ¿Podría considerarse esta deuda como deducible para el cálculo de la cuota a pagar del ISD?

Sí, la deuda tendrá la consideración de deducible a efectos del ISD.

2. Un año después de la dación en pago del inmueble y de la presentación de la autoliquidación por parte de la hija, se le notifica a esta una deuda de su padre de la que no se tenía constancia en el momento de presentación de la autoliquidación. La cuota a pagar resultante de la autoliquidación fue de 15.000 euros y el montante acreditado de la deuda es de 12.000 euros. La deuda tributaria se ha saldado. ¿Puede hacer algo la hija del fallecido con respecto a esa nueva deuda?

Sí, podrá llevarse a cabo la deducción de esa deuda conocida con posterioridad conforme al procedimiento correspondiente, que regula el artículo 94 del RISD. Su deducción se efectuará a través de la devolución de la parte del ISD correspondiente a la deuda no deducida, entendiéndose por tal la diferencia entre la cantidad ingresada y la que se habría ingresado si al practicarse la autoliquidación del ISD se hubiese deducido el importe de dicha deuda. A tal efecto, la heredera tendrá que presentar un escrito ante la oficina que hubiese tramitado la autoliquidación solicitando la rectificación, acompañada de los documentos acreditativos de la deuda.

3. Al haber fallecido la persona en febrero de 2025, no presentó declaración por el IRPF ni para el ejercicio 2024 ni para el ejercicio 2025. ¿Es deducible el importe de ambos tributos en la autoliquidación del impuesto?

La heredera tendrá obligación de presentar la declaración de la renta correspondiente al fallecido, cuya cuota se puede considerar deducible a efectos de la liquidación del ISD por cumplir los requisitos exigidos en la normativa del impuesto.

Bienes adicionables: bienes y derechos transmitidos antes del fallecimiento que pueden formar parte de la base imponible del impuesto

A la hora de determinar la base imponible del ISD, en ciertas ocasiones habrá que tener en cuenta una serie de bienes que el causante hubiera transmitido o vendido antes de su muerte. Ficticiamente, **se presumirá que esos bienes forman parte del caudal hereditario a efectos de determinar la participación individual de cada sucesor**. Son presunciones que se establecen para evitar situaciones de fraude, como la ocultación de algunos bienes y derechos en el patrimonio de otra persona, las adquisiciones de bienes por cauces indebidos u otras situaciones poco habituales que podrían haberse realizado con el fin de evitar o reducir la factura fiscal que correspondería.

Estas presunciones se recogen en el artículo 11 de la LISD y se refieren a los siguientes bienes:

- Bienes que hubiesen pertenecido al causante hasta un año antes del fallecimiento.

- Bienes y derechos que se hubieran adquirido en usufructo por el causante en los tres años anteriores al fallecimiento, a título oneroso, y en nuda propiedad por ciertas personas.

- Bienes y derechos transmitidos por el causante en los cuatro años anteriores al fallecimiento, reservándose el usufructo u otro derecho vitalicio.

- Valores y efectos depositados y cuyos resguardos se hubieran endosado, y los valores nominativos objeto de endoso, cuando concurran ciertas circunstancias.

a. Bienes que hubiesen pertenecido al causante hasta un año antes del fallecimiento

En las adquisiciones por causa de muerte se presumirá que forman parte del caudal hereditario los bienes de toda clase que hubiesen pertenecido al causante de la sucesión hasta un año antes del fallecimiento, salvo prueba fehaciente de que tales bienes fueron transmitidos por aquel y de que se hallan en poder de persona distinta de un heredero, legatario, pariente dentro del tercer grado o cónyuge de cualquiera de ellos o del causante. Esta presunción quedará desvirtuada mediante la justificación suficiente de que en el caudal figuran incluidos el dinero u otros bienes subrogados en el lugar de los desaparecidos con valor equivalente.

A estos efectos, se presumirá que los bienes pertenecieron al causante por la circunstancia de que los mismos figurasen a su nombre en depósitos, cuentas corrientes o de ahorro, préstamos con garantía o en otros contratos similares o bien inscritos a su nombre en los amillaramientos, catastros, registros fiscales, registros de la propiedad u otros de carácter público. Por su parte, la no justificación de la existencia de dinero o de bienes subrogados no impedirá el derecho de los interesados de probar la realidad de la transmisión.

La adición realizada al amparo de esta presunción afectará a todos los causahabientes en la misma proporción en que fuesen herederos, salvo que fehacientemente se acredite la transmisión a alguna de las personas indicadas en el primer párrafo; en cuyo caso afectará solo a dicho sujeto, que asumirá a efectos fiscales, si ya no la tuviese, la condición de heredero o legatario.

CUESTIÓN

Una persona vende a un tercero un inmueble en mayo de 2025. Dicha persona fallece en enero de 2026 dejándole a su hijo el resto de sus bienes y derechos, sin haber percibido todavía el pago del inmueble vendido. ¿Debe tenerse en cuenta ese inmueble entregado en 2024 al liquidar la sucesión?

Sí, tendrá que incorporarse como bien adicionable. Uno de los requisitos específicos que inhabilitan la aplicación de la presunción del artículo 11.1.a) de la LISD es haber obtenido de manera efectiva el dinero o los bienes por los que se efectúa la transmisión del inmueble. Como en este caso no se había percibido el pago en la fecha de presentación del impuesto, el valor del inmueble debe adicionarse a la masa hereditaria del causante, salvo que se pruebe la realidad de la transmisión.

b. Bienes y derechos que se hubieran adquirido en usufructo por el causante en los tres años anteriores al fallecimiento, a título oneroso, y en nuda propiedad por ciertas personas

También se presumirá que forman parte del caudal hereditario a estos efectos los bienes y derechos que, durante los tres años anteriores al fallecimiento del causante, hubiesen sido adquiridos por este a título oneroso en usufructo y en nuda propiedad por un heredero, legatario, pariente dentro del tercer grado o cónyuge de cualquiera de ellos o del causante. Esta presunción quedará desvirtuada mediante la justificación suficiente de que el adquirente de la nuda propiedad satisfizo al transmitente el dinero o le entregó bienes o derechos de valor equivalente, suficientes para su adquisición. La no justificación de la existencia de dinero o de bienes subrogados no impedirá el derecho de los interesados de probar la realidad de la transmisión onerosa.

La adición realizada al amparo de esta presunción perjudicará exclusivamente al adquirente de la nuda propiedad al que se le liquidará por la adquisición *mortis causa* del pleno dominio del bien o derecho de que se trate. La práctica de esta liquidación excluirá la que hubiese correspondido por la consolidación del pleno dominio.

CUESTIÓN

En agosto de 2023, Antonio adquirió por compraventa el usufructo de un bien inmueble y su hijo la nuda propiedad del mismo bien, pero este último no abonó ningún tipo de contraprestación. Con el fallecimiento de Antonio en enero de 2026, su hijo, como único heredero, ¿debe incluir el bien inmueble en el caudal hereditario a la hora de liquidar el ISD?

Sí, puesto que resultará de aplicación la presunción recogida en el artículo 11.1.b) de la LISD, salvo que se pruebe la realidad de la transmisión onerosa. No en vano, en los tres años anteriores al fallecimiento, el causante había adquirido el usufructo del bien a título oneroso y el hijo la nuda propiedad del mismo sin haber satisfecho ninguna contraprestación a cambio.

---

c. Bienes y derechos transmitidos por el causante en los cuatro años anteriores al fallecimiento, reservándose el usufructo u otro derecho vitalicio

Se presumirá que forman parte del caudal hereditario a estos efectos los bienes y derechos transmitidos por el causante a título oneroso durante los cuatro años anteriores a su fallecimiento, reservándose el usufructo de los mismos o de otros del adquirente, o cualquier otro derecho vitalicio, salvo cuando se trate de seguros de renta vitalicia contratados con entidades dedicadas legalmente a este género de operaciones.

Esta presunción quedará desvirtuada mediante la justificación suficiente de que en el caudal hereditario figura dinero u otros bienes recibidos en contraprestación de la transmisión de la nuda propiedad por valor equivalente. La no justificación de la existencia de dinero o de bienes subrogados no obstará al derecho de los interesados para probar la realidad de la transmisión.

La adición realizada al amparo de esta presunción perjudicará exclusivamente al adquirente de la nuda propiedad, que será considerado como legatario si fuese persona distinta de un heredero y al que se liquidará por la adquisición *mortis causa* del pleno dominio del bien o derecho de que trate. La práctica de esta liquidación excluirá la que hubiese correspondido por la consolidación del pleno dominio.

CUESTIONES

1. Una persona tiene la propiedad de un bien inmueble situado en el barrio donde ha vivido toda su vida. Con fecha de julio de 2022 decide transmitir dicho bien inmueble a su hijo, quedándose él con el usufructo vitalicio. Dicha persona fallece en febrero de 2026, momento en el que su hijo todavía no había pagado la contraprestación debida por el inmueble. ¿Debe el hijo incluir en la masa hereditaria a efectos de la liquidación del impuesto el valor del bien inmueble en cuestión?

Sí, tendrá que incluirlo como bien adicionable, puesto que a fecha de devengo del impuesto el hijo no había satisfecho ninguna contraprestación por la adquisición de la nuda propiedad y, por tanto, regiría la presunción recogida en el artículo 11.1.c) de la LISD, salvo que se probase la realidad de la transmisión.

2. Si el hijo hubiese satisfecho la contraprestación con anterioridad al fallecimiento de su padre, ¿debería incluir el valor del inmueble en la declaración?

De haber realizado el pago total de la contraprestación con anterioridad al fallecimiento de su padre no tendría que adicionar el bien inmueble a la masa hereditaria.

3. La persona fallecida estuvo planteándose la posibilidad de transmitir la propiedad del inmueble a una entidad como contraprestación a cambio de la obtención de una renta vitalicia. La entidad dedica su actividad habitual a este tipo de operaciones. ¿Sería diferente la tributación del hijo en caso de haber elegido esta opción?

Sí, pues no entraría en juego la presunción del artículo 11.1.c) de la LISD y no habría que adicionar el bien.

d. Valores y efectos depositados y cuyos resguardos se hubieran endosado, y los valores nominativos objeto de endoso

Por último, se presumirá que forman parte del caudal hereditario a estos efectos los valores y efectos depositados cuyos resguardos se hubiesen endosado, si con anterioridad al fallecimiento del endosante no se hubiesen retirado aquellos o tomado razón del endoso en los libros del depositario, y los valores nominativos que hubiesen sido igualmente objeto de endoso, si la transferencia no se hubiese hecho constar en los libros del depositario, y los valores nominativos que hubiesen sido igualmente objeto de endoso, si la transferencia no se hubiese hecho constar en los libros de la entidad emisora con antelación al fallecimiento del causante.

Esta presunción quedará desvirtuada cuando conste de modo suficiente que el precio o equivalencia del valor de los bienes y efectos transmitidos se ha incorporado al patrimonio del vendedor o cedente y figura en el inventario de su herencia, que ha de ser tenido en cuenta para la liquidación del impuesto, o si se justifica suficientemente que la retirada de valores o efectos o la toma de razón del endoso no ha podido verificarse con anterioridad al fallecimiento del causante por causas independientes de la voluntad de este y del endosatario, sin perjuicio de que la adición pueda tener lugar conforme a los supuestos antes analizados.

4. LA LIQUIDACIÓN DEL IMPUESTO SOBRE SUCESIONES Y DONACIONES

La adición realizada afectará exclusivamente al endosatario de los valores, que será considerado como legatario si no tuviese la condición de heredero.

> **CUESTIÓN**
>
> **Una persona fallece en marzo de 2026, dejando sus bienes y derechos a su hija y única heredera. Entre los derechos de ella constaban, a fecha de devengo del impuesto, valores que se endosaron en agosto de 2025 y que aún no se han cobrado. ¿Debe la hija incluirlos en la masa hereditaria de la persona a la hora de liquidar el ISD?**
>
> Sí, los valores y efectos depositados que se encuentren endosados y no se hubiesen retirado con anterioridad al fallecimiento del causante formarán parte de la masa hereditaria como bienes adicionables, debiendo integrar sus herederos el valor correspondiente a la hora de presentar declaración por el ISD. Sería así por aplicación de la presunción recogida en el artículo 11.1.d) de la LISD y salvo prueba en contrario en los términos antes indicados.

| La exclusión de la adición y deducción del ITPyAJD

Según prevé el artículo 29 del RISD, no habrá lugar a las adiciones de bienes mencionadas cuando por la transmisión onerosa de los bienes se hubiese satisfecho por el Impuesto sobre Transmisiones Patrimoniales y Actos Jurídicos Documentados (ITPyAJD) una cantidad superior a la que resulte de aplicar a su valor comprobado al tiempo de la adquisición el tipo medio efectivo que correspondería en el ISD al heredero o legatario afectado por la presunción, si en la liquidación se hubiese incluido dicho valor.

Si la cantidad ingresada por el ITPyAJD fuese inferior, habrá lugar a la adición, pero el sujeto pasivo tendrá derecho a que se le deduzca de la liquidación practicada por el ISD lo satisfecho por aquel.

|| El ajuar doméstico

El ajuar doméstico formará parte de la masa hereditaria y **se valorará en el tres por ciento del caudal hereditario del causante, salvo que los interesados asignen a este ajuar un valor superior o prueben fehacientemente su inexistencia o que su valor es inferior** al que resulte de aplicar dicho porcentaje.

Su valoración, según prevé el artículo 34 del RISD, se ajustará a los siguientes criterios:

- Salvo que los interesados acrediten fehacientemente su inexistencia, se presumirá que el ajuar doméstico forma parte de la masa hereditaria, por lo que, si no estuviese incluido en el inventario de los bienes hereditarios del causante, lo adicionará de oficio la oficina gestora para determinar la base imponible de los causahabientes a los que deba imputarse.

- El ajuar doméstico se estimará en el valor declarado, siempre que sea superior al que resulte de la aplicación de la regla establecida en el Impuesto sobre el Patrimonio para su valoración. En otro caso, se estimará en el que resulte de esta regla, salvo que el inferior declarado se acredite fehacientemente.

- Para el cálculo del ajuar doméstico en función de porcentajes sobre el resto del caudal hereditario, no se incluirá en él el valor de los bienes adicionados en virtud de lo dispuesto en los apartados anteriores ni, en su caso, el de las donaciones acumuladas, así como tampoco el importe de las cantidades que procedan de seguros sobre la vida contratados por el causante si el seguro es individual o el de los seguros en que figure como asegurado si fuera colectivo.

- El valor del ajuar doméstico así calculado se minorará en el de los bienes que, por disposición del artículo 1321 del CC o de disposiciones análogas de derecho civil foral o especial, deben entregarse al cónyuge sobreviviente, cuyo valor se fijará en el 3 % del valor catastral de la vivienda habitual del matrimonio, salvo que los interesados acrediten fehacientemente uno superior. A estos efectos, conviene tener presente que el artículo 1321 del CC determina que, fallecido uno de los cónyuges, las ropas, el mobiliario y los enseres que constituyan el ajuar de la vivienda habitual común de los esposos se entreguen al que sobreviva, sin computárselo en su haber; ahora bien, no se entenderán comprendidos en el ajuar las alhajas, los objetos artísticos, históricos ni otros de extraordinario valor.

4.3. Algunas cuestiones a tener en cuenta sobre el funcionamiento del ISD

Tres aspectos básicos a considerar a la hora de liquidar o autoliquidar el Impuesto sobre Sucesiones

En una obra como esta es imposible analizar de manera pormenorizada todos y cada uno de los aspectos del Impuesto sobre Sucesiones. Sin embargo, una vez vistas las claves para inventariar y valorar los bienes a los efectos del impuesto, conviene que los interesados tengan clara la mecánica básica del ISD en su modalidad de sucesiones:

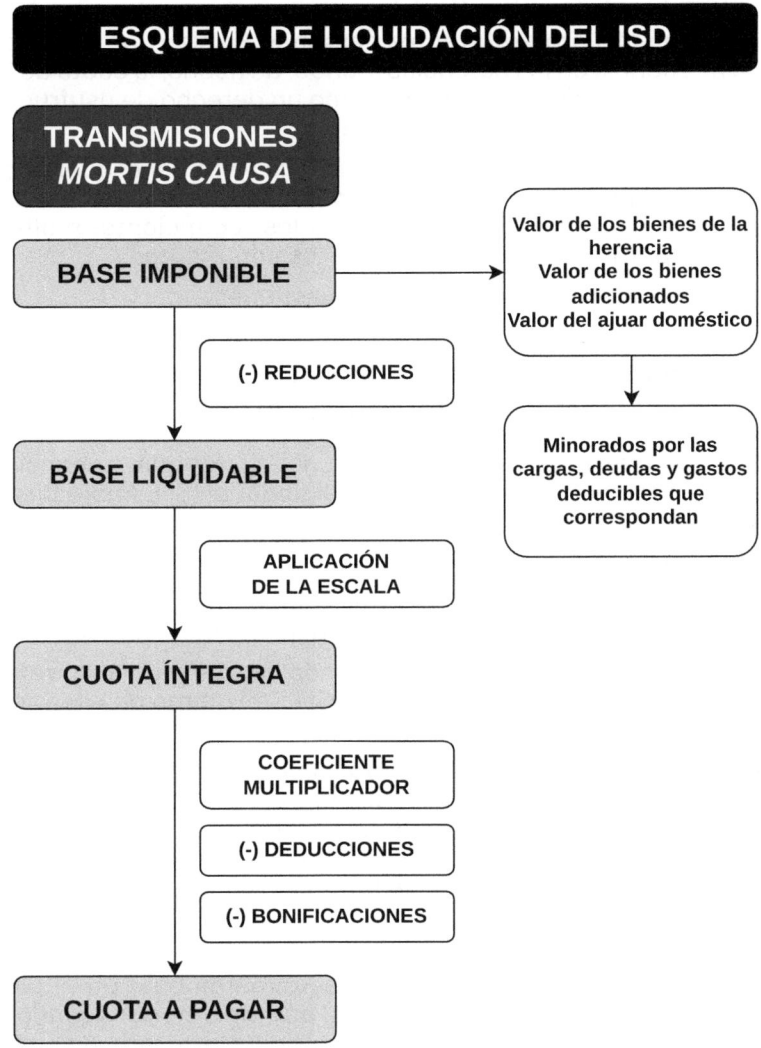

ESQUEMA DE LIQUIDACIÓN DEL ISD

TRANSMISIONES *MORTIS CAUSA*

BASE IMPONIBLE → Valor de los bienes de la herencia / Valor de los bienes adicionados / Valor del ajuar doméstico

(-) REDUCCIONES

↓ Minorados por las cargas, deudas y gastos deducibles que correspondan

BASE LIQUIDABLE

APLICACIÓN DE LA ESCALA

CUOTA ÍNTEGRA

COEFICIENTE MULTIPLICADOR

(-) DEDUCCIONES

(-) BONIFICACIONES

CUOTA A PAGAR

En los siguientes apartados se hará referencia a la cumplimentación básica del modelo de autoliquidación estatal y a algunos de los elementos clave del impuesto, como los beneficios fiscales (reducciones, deducciones y bonificaciones), el pago del impuesto o la posibilidad de aplazar o fraccionar dicho pago.

Sin embargo, con carácter previo a todo ello, quizás sea interesante hacer referencia también a **tres aspectos clave** en los que todavía no se ha incidido:

- Por un lado, la **tributación en caso de renuncia o repudiación** de la herencia.

- Por otro, el tratamiento fiscal que se deba dar a los supuestos en los que, como consecuencia de la sucesión *mortis causa*, se desmiembre el dominio sobre determinados bienes, **atribuyendo su nuda propiedad y su usufructo a diferentes personas**. Es algo que ocurre con mucha frecuencia en las herencias (donde, de hecho, la cuota de legítima del cónyuge viudo se configura como un derecho de usufructo), cuyo tratamiento puede resultar peculiar.

- Finalmente, también es posible que, a la vista del esquema anterior, muchos se pregunten sobre el **modo de calcular la concreta cuota a pagar** y la relevancia de los denominados «coeficientes multiplicadores» y el patrimonio preexistente de los adquirentes.

Veamos por encima cada una de estas cuestiones.

La renuncia o repudiación a la herencia y su tratamiento en el ISD

Cuando alguno de los llamados a la herencia la repudia (renuncia a ella), esa decisión tendrá incidencia a la hora de liquidar el ISD. Ahora bien, **caben dos tipos de renuncia**, cuyos efectos serán diversos:

- La renuncia pura, simple y gratuita.
- La renuncia realizada a favor de otra persona, que en realidad supone una cesión de los mismos derechos que el renunciante tenía a otro.

Los artículos 28 de la LISD y 58 del RISD son los que regulan los efectos de ambos tipos de renuncia en el ámbito del ISD. Del último de ellos se extraerían las siguientes reglas básicas:

- En la **repudiación o renuncia pura, simple y gratuita** de la herencia o legado, los beneficiarios de la misma tributarán por la adquisición de la parte repudiada o renunciada aplicando siempre el coeficiente que corresponda a la cuantía de su patrimonio preexistente. En cuanto al parentesco con el causante, se tendrá en cuenta el del renunciante o el del que repudia cuando tenga señalado un coeficiente superior al que correspondería al beneficiario.

Si el beneficiario de la renuncia recibiese directamente otros bienes del causante, solo se aplicará lo dispuesto en el párrafo anterior cuando la suma de las liquidaciones practicadas por la adquisición separada de ambos grupos de bienes fuese superior a la girada sobre el valor de todos, con aplicación a la cuota íntegra obtenida del coeficiente que corresponda al parentesco del beneficiario con el causante.

- En los **demás casos de renuncia en favor de persona determinada**, se exigirá el impuesto al renunciante, sin perjuicio de lo que deba liquidarse, además, por la cesión o donación de la parte renunciada.
- La **repudiación o renuncia hecha después de prescrito el impuesto** correspondiente a la herencia o legado se reputará a efectos fiscales como donación.
- Para que la renuncia del cónyuge sobreviviente a los efectos y consecuencias de la sociedad de gananciales produzca el efecto de que los bienes renunciados pasen a formar parte, a los efectos de la liquida-

ción del impuesto, del caudal relicto del fallecido será necesario que la renuncia, además de reunir los requisitos del primer punto, se haya realizado por escritura pública con anterioridad al fallecimiento del causante. No concurriendo estas condiciones, se girará liquidación por el concepto de donación del renunciante a favor de los que resulten beneficiados por la renuncia.

Así las cosas, en el supuesto de renuncia pura, simple y gratuita de la herencia o legado, el renunciante no tributará por el ISD, sino que lo hará el beneficiario, en los términos indicados. Sin embargo, cuando la renuncia se realice en favor de una persona determinada, existirán dos adquisiciones a efectos fiscales: la del que renuncia o repudia a la herencia, que adquiere los bienes y derechos *mortis causa* y tributa por el impuesto, y la del beneficiario de la renuncia, que tributará como donación.

CUESTIÓN

Una persona fallece en febrero de 2026, dejando como única heredera a su hija y a su cónyuge como usufructuaria de conformidad con lo previsto en la legislación civil aplicable. En marzo de ese mismo año, la hija decide renunciar a la herencia de manera pura, simple y gratuita; de modo que, según la legislación aplicable al supuesto, será llamado a la herencia su hijo, nieto del fallecido. ¿Cómo tributa la operación para cada uno de ellos?

Al tratarse de una renuncia pura, simple y gratuita, la renunciante no tributará por el ISD. Sin embargo, el nieto del causante, que se beneficiaría de esa renuncia, tendrá que tributar por la adquisición *mortis causa* en el ISD.

¿Cómo tributan en el ISD los derechos de usufructo y la nuda propiedad?

El artículo 26 de la LISD establece las siguientes reglas especiales sobre la tributación del derecho de usufructo (su constitución y extinción), de las sustituciones, reservas, fideicomisos e instituciones sucesorias forales. En este apartado, nos limitaremos a analizar lo referido al usufructo y la nuda propiedad:

- El valor del **usufructo temporal** se considerará proporcional al valor total de los bienes, en razón del 2 % por cada período de un año, sin exceder del 70 %.

- En los **usufructos vitalicios** se estimará que el valor es igual al 70 % del valor total de los bienes cuando el usufructuario cuente menos de 20 años, minorando a medida que aumenta la edad, en la proporción de un 1 % menos por cada año más, con el límite mínimo del 10 % del valor total.

A TENER EN CUENTA. De lo anterior resulta la siguiente fórmula para calcular el valor del usufructo vitalicio: valor de los bienes x [70 - (edad del usufructuario - 19)]. Sin embargo, para facilitar el cálculo suele utilizarse una versión simplificada de la fórmula: valor de los bienes x (89 - edad del usufructuario). Además, hay que tener en cuenta los límites máximo y mínimo indicados.

- El valor del derecho de **nuda propiedad** se computará por la diferencia entre el valor del usufructo y el valor total de los bienes. En los usufructos vitalicios que, a su vez, sean temporales, la nuda propiedad se valorará aplicando, de las reglas anteriores, aquella que le atribuya menor valor.

- Al adquirir la nuda propiedad se efectuará la liquidación, teniendo en cuenta el valor correspondiente a aquella, minorado, en su caso, por el importe de todas las reducciones a que tenga derecho el contribuyente y con aplicación del tipo medio efectivo de gravamen correspondiente al valor íntegro de los bienes.

- En la extinción del usufructo se exigirá el impuesto según el título de constitución, aplicando el tipo medio efectivo de gravamen correspondiente a la desmembración del dominio.

A mayor abundamiento, el artículo 51 del RISD fija las siguientes peculiaridades.

- Al **adquirirse el derecho de usufructo** se girará una liquidación sobre la base del valor de estos derechos, con aplicación, en su caso, de la reducción que corresponda al adquirente.

- Al **adquirente de la nuda propiedad** se le girará una liquidación teniendo en cuenta el valor correspondiente a aquella, minorando, en su caso, por el importe de la reducción a que tenga derecho el nudo propietario por su parentesco con el causante y con aplicación del tipo medio efectivo de gravamen correspondiente al valor íntegro de los bienes. Dicho tipo medio efectivo se calculará dividiendo la cuota tributaria correspondiente a una base liquidable teórica, para cuya determinación se haya tomado en cuenta el valor íntegro de los bienes, por esta misma base y multiplicando el cociente por 100, expresando el resultado con inclusión de hasta dos decimales. Sin perjuicio de la liquidación anterior, **al extinguirse el usufructo**, el primer nudo propietario viene obligado a pagar por este concepto sobre la base del valor atribuido al mismo en su constitución, minorado, en su caso, en el resto de la reducción mencionada cuando la misma no se hubiese agotado en la liquidación practicada por la adquisición de la nuda propiedad, y con aplicación del mismo tipo medio efectivo de gravamen referido.

- En el caso de que el **nudo propietario transmitiese su derecho**, con independencia de la liquidación que se gire al adquirente sobre la base del valor que en ese momento tenga la nuda propiedad y por el tipo de gravamen que corresponda al título de adquisición, al consolidarse el pleno dominio en la persona del nuevo nudo propietario, se girará liquidación sobre el porcentaje del valor total de los bienes por el que no se le liquidó, aplicando la escala de gravamen correspondiente al título por el que se desmembró el dominio.

- Si la **consolidación del dominio en la persona del primero o sucesivos nudos propietarios se produjera por una causa distinta al cumplimiento del plazo previsto o a la muerte del usufructuario**, el adquirente sólo pagará la mayor de las liquidaciones entre la que se encuentre pendiente por la desmembración del dominio y la correspondiente al negocio jurídico en cuya virtud se extingue el usufructo.

- Si la **consolidación se opera en el usufructuario**, pagará este la liquidación correspondiente al negocio jurídico en cuya virtud adquiere la nuda propiedad. Si se operase **en un tercero**, adquirente simultáneo de los derechos de usufructo y nuda propiedad, se girará únicamente las liquidaciones correspondientes a tales adquisiciones.

- En los **usufructos sucesivos**, el valor de la nuda propiedad se calculará teniendo en cuenta el usufructo de mayor porcentaje y a la extinción de este usufructo pagará el nudo propietario por el aumento de valor que la nuda propiedad experimente y así sucesivamente al extinguirse los demás usufructos. La misma norma se aplicará al usufructo constituido en favor de los dos cónyuges simultáneamente, pero solo se practicará liquidación por consolidación del dominio cuando fallezca el último.

- La **renuncia de un usufructo ya aceptado**, aunque sea pura y simple, se considerará a efectos fiscales como donación del usufructuario al nudo propietario.

- Si el usufructo se constituye con condición resolutoria distinta de la vida del usufructuario se liquidará por las reglas establecidas para los usufructos vitalicios, a reserva de que, cumplida la condición, se practique nueva liquidación, conforme a las reglas establecidas para el usufructo temporal, y se hagan las rectificaciones que procedan en beneficio del Tesoro o del interesado.

CUESTIONES

1. Una persona, de 45 años, ha adquirido un usufructo temporal con una duración inferior al año, sobre una vivienda valorada en 100.000 euros. ¿Qué valor tiene dicho usufructo a efectos del ISD?

Al tratarse de un usufructo temporal por período inferior al año el porcentaje aplicable será del 2 %.

2 % x 100.000 euros = 2.000 euros.

2. Antonio ha adquirido, por herencia de su padre, el usufructo sobre un inmueble valorado en 100.000 euros por un período de 20 años. ¿Qué valor tendrá dicho usufructo a efectos del ISD?

El valor del usufructo temporal se calcula a razón del 2 % por cada año de duración, por tanto, el porcentaje a aplicar será del 40 % sobre el valor total del bien inmueble.

40 % x 100.000 euros = 40.000 euros.

3. A su fallecimiento, Juan ha dejado a su hija la nuda propiedad de la vivienda en la que residía y a su esposa, de 70 años, su usufructo vitalicio. La vivienda tiene un valor de 100.000 euros. ¿Qué valor han de computar la hija y la viuda por los derechos que reciben sobre dicha vivienda?

El valor de la nuda propiedad será la diferencia entre el valor total de los bienes y el del usufructo constituido a favor de la esposa del causante. El valor del usufructo de la viuda será el resultado de aplicar al valor de los bienes el porcentaje que se determine en función del siguiente cálculo: 70 - (70 - 19) = 19 %. Obsérvese que sería el mismo resultado que si se aplicase la fórmula de cálculo simplificada: 89 - edad del usufructuario = 89 -70 = 19 %.

Por lo tanto, el valor del usufructo por el que ha de tributar la madre será de 19.000 euros (100.000 euros x 19 %).

Por su parte, el valor de la nuda propiedad será igual a la diferencia entre el valor total de la vivienda (100.000 euros) y el valor del usufructo (19.000 euros), esto es, 81.000 euros.

El cálculo de la cuota final del Impuesto sobre Sucesiones

En las adquisiciones *mortis causa*, **la base imponible del impuesto vendrá dada por el valor neto de la adquisición individual de cada causahabiente**, considerándose como tal el valor de los bienes y derechos minorado por las cargas y deudas que fueren deducibles. Luego, **sobre esa base imponible se aplicarán las reducciones** que regula la normativa del tributo (se verán en el apartado de beneficios fiscales), obteniéndose como resultado la **base liquidable**.

Calculada la base liquidable, el siguiente paso será obtener la **cuota íntegra**. Para ello, habrá que **aplicar sobre la base liquidable la escala de gravamen** que corresponda. En concreto, habrá que aplicar la escala de gravamen aprobada por la comunidad autónoma cuya normativa deba aplicarse, en el caso de que la comunidad autónoma haya aprobado una; en caso contrario, si procede la normativa estatal o la comunidad autónoma no ha aprobado su propia escala, se aplicará la establecida por la legislación estatal, recogida en el artículo 21 de la LISD.

Después, **a la cuota íntegra se le aplicará un determinado coeficiente multiplicador en función del patrimonio preexistente del sujeto pasivo y su grado de parentesco con el causante**. Los tramos del patrimonio preexistente y sus coeficientes multiplicadores correspondientes serán los previstos por la normativa autonómica que corresponda o, en su defecto o de no proceder la legislación autonómica, los establecidos en la legislación estatal (artículo 22 de la LISD). De ese modo, se obtendrá la cuota tributaria por el impuesto.

Finalmente, tras **aplicar las deducciones y bonificaciones** (que también se estudian en el epígrafe correspondiente a los beneficios fiscales), resultará el importe final, que puede ser cero o a ingresar.

A TENER EN CUENTA. Todos estos cálculos, cuando el impuesto se presenta telemáticamente, se realizan ya de modo automático por el propio programa. El contribuyente simplemente tendrá que introducir todos los elementos a considerar a dicho respecto (por ejemplo, los valores de los bienes, las proporciones del reparto, los beneficios fiscales que procedan, etc.).

4.4. Los beneficios fiscales en la sucesión

Beneficios fiscales aplicables en el ISD por una herencia o legado

La normativa del Impuesto sobre Sucesiones establece beneficios fiscales de distinto tipo: **reducciones, deducciones y bonificaciones**. Además, como se trata de un impuesto cedido a las comunidades autónomas, estas también pueden regular sus propios beneficios fiscales o mejorar los establecidos a nivel estatal, en los términos establecidos en el **artículo 48 de la Ley 22/2009, de 18 de diciembre**:

- En materia de reducciones, las comunidades autónomas pueden regular las establecidas por la normativa estatal, manteniéndolas en condiciones análogas o mejorándolas a través del aumento de su importe o del porcentaje de reducción, ampliando las personas que puedan acogerse a ellas o disminuyendo sus requisitos de aplicación. Además, las comunidades autónomas también podrán crear sus propias reducciones, que se aplicarán con posterioridad a las establecidas por la normativa estatal. Cuando la comunidad autónoma mejore una reducción estatal, la reducción mejorada sustituirá a la estatal en esa comunidad autónoma.

- Por lo que se refiere a las deducciones y bonificaciones, las que aprueben las comunidades autónomas serán compatibles con las previstas en la normativa estatal del impuesto y no podrán implicar una modificación de las mismas. Dichas deducciones y bonificaciones autonómicas se aplicarán con posterioridad a las reguladas por la normativa del Estado.

A continuación, haremos referencia en primer término a los **beneficios fiscales que contempla la normativa estatal**, por su alcance más general, y luego nos limitaremos simplemente a **enumerar los que prevé cada comunidad autónoma**, cuyo estudio detallado excede con mucho del objeto de esta obra.

> **A TENER EN CUENTA**. Para conocer en detalle los requisitos y el régimen de aplicación de las reducciones, deducciones o bonificaciones autonómicas recomendamos consultar directamente la norma que las regule en cada territorio (se indica en el epígrafe donde se enumeran los distintos beneficios fiscales de cada una de las comunidades autónomas).

Las reducciones estatales en el Impuesto sobre Sucesiones

A nivel estatal, básicamente, se establecen reducciones en atención al grado de parentesco con el fallecido o a la situación de discapacidad del sujeto pasivo, así como por adquisición de seguros de vida, de la vivienda habitual del causante, de bienes del patrimonio histórico o cultural o de una empresa individual, negocio profesional, participaciones en entidades que pertenecieran al causante o explotaciones agrarias. También se prevé una reducción para supuestos de transmisión consecutiva de bienes *mortis causa.*

|| Reducción por grado de parentesco con el causante

En las adquisiciones *mortis causa*, incluidas las de los beneficiarios de pólizas de seguros sobre la vida, se aplicará una reducción por parentesco de la manera que establece el artículo 20.2.a) de la LISD:

- **Grupo I: adquisiciones por descendientes y adoptados menores de 21 años**. La reducción será de 15.956,87 euros más 3.990,72 euros por cada año menos de 21 que tenga el causahabiente, sin que la reducción pueda exceder de 47.858,59 euros.

- **Grupo II: adquisiciones por descendientes y adoptados de 21 o más años, cónyuges, ascendientes y adoptantes**, 15.956,87 euros.

- **Grupo III: adquisiciones por colaterales de segundo y tercer grado, ascendientes y descendientes por afinidad**, 7.993,46 euros.

- **Grupo IV: adquisiciones por colaterales de cuarto grado, grados más distantes y extraños**, no habrá lugar a reducción.

CUESTIÓN

Una persona fallece en enero de 2026 dejando sus bienes y derechos a los siguientes herederos:

1. A su hijo mayor, de 35 años, un bien inmueble.

2. A su hijo mediano, de 18 años, unas acciones.

3. A su hijo menor, de 11 años, el pleno dominio sobre la vivienda habitual donde ambos convivían.

4. A su padre, las participaciones de la entidad en la que era socio.

5. A su hermano, un vehículo de turismo.

6. A su nieto de 5 años, hijo de su hijo mayor, una motocicleta.

7. A los socios de su entidad, una cantidad de dinero que tenía en una cuenta corriente.

Se preguntan los herederos qué reducción por parentesco le corresponderá a cada uno de ellos.

1. Al hijo mayor del causante le corresponderá, por pertenecer al grupo II como descendiente por consanguinidad de primer grado mayor de 21 años, una reducción de 15.956,87 euros.

2. A su hijo mediano, por ser menor de 21 años y pertenecer al grupo I, le corresponderá una reducción de 15.956,87 euros más la cantidad resultante de multiplicar la diferencia entre 21 y 18 años por 3.990,72 euros. Esto es, una reducción total de 27.929,03 euros.

3. A su hijo pequeño, por ser menor de 21 años y pertenecer al grupo I, le corresponderá una reducción de 15.956,87 euros más la cantidad resultante de multiplicar la diferencia entre 21 y 11 años por 3.990,72 euros. Es decir, una reducción total de 55.864,07 euros. Sin embargo, aplica en este caso el límite máximo de la reducción de 47.858,59 euros.

4. A su padre le corresponderá, por pertenecer al grupo II como ascendiente del causante, una reducción de 15.956,87 euros.

5. A su hermano le corresponderá, por pertenecer al grupo III como colateral por consanguinidad de segundo grado, una reducción de 7.993,46 euros.

6. A su nieto le corresponderá, por pertenecer al grupo I como descendiente menor de 21 años, una reducción de 15.956,87 euros más la cantidad resultante de multiplicar la diferencia entre 21 y 5 años por 3.990,72 euros. Le correspondería, por tanto, una reducción total de 79.808,39 euros; pero al existir un límite máximo para la reducción, solo podrá aplicar dicha reducción máxima: 47.858,59 euros.

7. Por último, a sus socios en la entidad, por tratarse de extraños, no les corresponderá reducción alguna por razón de parentesco con el causante.

|| Reducción por discapacidad del sujeto pasivo

En las adquisiciones *mortis causa*, incluidas las de los beneficiarios de pólizas de seguros de vida, además de la reducción que pudiera corresponder por el grado de parentesco con el causante, se aplicarán las siguientes reducciones por discapacidad del sujeto pasivo, según el grado de discapacidad de acuerdo con el baremo establecido por la legislación sobre Seguridad Social [último párrafo del artículo 20.2.a) de la LISD]:

- Cuando posean un grado de discapacidad igual o superior al 33 % e inferior al 65 %: **47.858,59 euros**.
- Cuando posean un grado de discapacidad igual o superior al 65 %: **150.253,03 euros**.

CUESTIONES

1. El hijo menor y el mediano de la persona fallecida cuentan con un grado de discapacidad reconocido por el órgano competente para ello de la comunidad autónoma donde residen, superior al 33 %. En particular, el hijo mediano posee una discapacidad reconocida del 78 %. ¿Qué reducción le corresponderá por esta circunstancia en el ISD?

Al hijo menor, por tener acreditada una discapacidad superior al 33 % e inferior al 65 %, le corresponderá una reducción de 47.858,59 euros. Al hijo mediano, sin embargo, por tener acreditada una discapacidad superior al 65 %, le corresponderá una reducción de 150.253,03 euros.

2. Si, en lugar de a sus hijos, dicha persona le hubiese legado sus bienes y derechos a su nieto y a uno de sus socios que poseen idénticos grados de discapacidad que los hijos, ¿les correspondería aplicar las mismas reducciones por discapacidad?

Sí, el grado de parentesco no influye a la hora de determinar la cuantía de la reducción por discapacidad del sujeto pasivo o si esta procede o no. Es una cuestión que vendrá dada únicamente por la condición de sujeto pasivo del impuesto y no por su relación de parentesco, por consanguinidad o afinidad de cualquier grado, con el causante.

|| Reducción por adquisición de la vivienda habitual del causante

Tal y como recoge el artículo 20.2.c) de la LISD, para las adquisiciones *mortis causa* de la vivienda habitual del causante por parte del cónyuge, ascendientes o descendientes del fallecido, o bien por parte de un pariente colateral mayor de 65 años que hubiese convivido con él durante los dos años anteriores al fallecimiento, existirá una reducción del **95 % del valor del bien inmueble**, con el límite de **122.606,47 euros** para cada sujeto pasivo.

Por otra parte, se establece como requisito para la reducción el **mantenimiento de la adquisición durante los diez años siguientes al fallecimiento del causante**, salvo que el adquiriente falleciera dentro de dicho período. En caso de incumplirse este requisito, deberá pagarse la parte del impuesto que se hubiese dejado de ingresar como consecuencia de la aplicación de esta reducción, así como los intereses de demora que correspondan.

CUESTIÓN

La persona fallecida dejó su vivienda habitual a su hijo menor en testamento, siendo el valor del inmueble de 450.000 euros. ¿Qué reducción le corresponderá al hijo por la adquisición de la vivienda habitual del causante?

En principio, le correspondería una reducción del 95 % de 450.000 euros, es decir, de 427.500 euros. Sin embargo, el límite máximo de la reducción es de 122.606,47 euros para cada sujeto pasivo, que resultará de aplicación, por lo que esta última será la cantidad a consignar como reducción.

|| Reducción por cantidades percibidas por seguros sobre la vida

Con independencia de las reducciones que se establezcan por el grupo de parentesco al que pertenezca el causahabiente o su discapacidad, tal y como recoge el artículo 20.2.b) de la LISD, se establece una reducción del **100 %, con un límite de 9.195,49 euros,** de las cantidades percibidas por los beneficiarios de contratos de seguros sobre la vida, cuando su parentesco con el contratante fallecido sea de cónyuge, ascendiente, descendiente, adoptante o adoptado. En los seguros colectivos o contratados por las empresas a favor de sus empleados, se estará al grado de parentesco entre el asegurado fallecido y el beneficiario.

La reducción **será única por sujeto pasivo, cualquiera que fuese el número de contratos de seguros de vida de los que sea beneficiario**, no será aplicable cuando tenga derecho a la establecida en la disposición transitoria cuarta de la LISD (para seguros contratados antes de 19 de enero de 1987).

A TENER EN CUENTA. La misma reducción será en todo caso aplicable a los seguros de vida que traigan causa en actos de terrorismo, así como en servicios prestados en misiones internacionales humanitarias o de paz de carácter público, y no estará sometida al límite cuantitativo mencionado, siendo extensible a todos los posibles beneficiarios, sin que sea de aplicación lo previsto en la disposición transitoria cuarta de la LISD.

CUESTIÓN

El causante de la cuestión anterior, al fallecer, tenía contratado un seguro de vida cuya prestación ascendía a 27.000 euros. Los beneficiarios del seguro eran sus tres hijos a partes iguales. ¿Qué reducción le corresponde a cada uno de ellos por las cantidades percibidas?

Al ser los tres hijos beneficiarios por partes iguales, deberá establecerse el pago que corresponde a cada uno de ellos por tercios, siendo para cada uno la cantidad de 9.000 euros. Por tanto, la reducción que podrá aplicarse cada uno será de esos 9.000 euros, al no rebasarse el límite máximo establecido de 9.195,49 euros.

Reducción por adquisición de empresa individual, de un negocio profesional o participaciones en entidades

El artículo 20.2.c) de la LISD establece una reducción para los casos en los que en la base imponible de una adquisición *mortis causa* que corresponda a los cónyuges, descendientes o adoptados de la persona fallecida, estuviese incluido el valor de una empresa individual, de un negocio profesional o participaciones en entidades, a los que sea de aplicación la exención regulada en el apartado octavo del artículo 4 de la Ley 19/1991, de 6 de junio, del Impuesto sobre el Patrimonio, o el valor de derechos de usufructo sobre los mismos, o de derechos económicos derivados de la extinción de dicho usufructo, siempre que, con motivo del fallecimiento, se consolidara el pleno dominio en el cónyuge, descendientes o adoptados, o percibieran estos los derechos debidos a la finalización del usufructo en forma de participaciones en la empresa, negocio o entidad afectada.

La reducción consistirá en que, para obtener la base liquidable, se aplicará en la imponible, con independencia de las reducciones que procediesen conforme a los apartados anteriores del artículo, otra **del 95 %** del mencionado valor, siempre que **la adquisición se mantenga durante los diez años siguientes al fallecimiento del causante**, salvo que falleciera el adquirente dentro de ese plazo. De no cumplirse el requisito de permanencia, deberá pagarse la parte del impuesto que se hubiese dejado de ingresar como consecuencia de la reducción practicada y los intereses de demora.

Cuando no existan descendientes o adoptados, la reducción será de aplicación a las adquisiciones por ascendientes, adoptantes y colaterales, hasta el tercer grado, y con los mismos requisitos recogidos anteriormente. En todo caso, el cónyuge supérstite tendrá derecho a la reducción del 95 %.

CUESTIONES

1. Un causante legó las participaciones de una entidad de las que era titular a su hijo. Estas participaciones cuentan un valor de 100.000 euros y cumplen los requisitos que el artículo 20.2.c) de la LISD establece para la aplicación de la reducción. ¿Qué reducción podrá aplicar el hijo del fallecido por la adquisición de esas participaciones?

La reducción de la que puede beneficiarse el hijo del fallecido será el resultado de aplicar el 95 % al valor de las participaciones, resultando la cantidad de 95.000 euros.

2. Si dicha persona hubiese legado las participaciones a un sobrino, ¿le resultaría igualmente de aplicación la reducción?

No, puesto que, incluso cumpliéndose el resto de los requisitos, al existir descendientes, los colaterales (como sería el sobrino) no podrían aplicar la reducción prevista en el artículo 20.2.c) de la LISD.

Reducción por adquisición de bienes pertenecientes al Patrimonio Histórico español o al Patrimonio Histórico o Cultural de las comunidades autónomas

Cuando en la base imponible correspondiente a una adquisición *mortis causa* del cónyuge, descendientes o adoptados de la persona fallecida se incluyeran bienes comprendidos en los apartados uno, dos o tres del artículo 4 de la Ley 19/1991, de 6 de junio, del Impuesto sobre el Patrimonio, en cuanto **integrantes del Patrimonio Histórico español o del Patrimonio Histórico o Cultural de las comunidades autónomas**, se aplicará, asimismo, una reducción del **95 %** de su valor.

La aplicación de esta reducción exige, como en el caso de la anterior, que **la adquisición se mantenga durante, al menos, los diez años siguientes al fallecimiento del causante**, salvo que el adquirente falleciera dentro de dicho plazo. De no cumplirse este requisito de permanencia, habrá que pagar la parte del impuesto que se hubiese dejado de ingresar como consecuencia de la reducción practicada, más los intereses de demora que correspondan.

CUESTIÓN

Mateo legó a su cónyuge una serie de obras de arte. Fallece en 2026 y su viuda descubre que entre ellas se encuentran una serie de cuadros y esculturas que pertenecen al Patrimonio Histórico español, valorados en 300.000 euros. ¿Qué reducción le correspondería a la viuda por la adquisición de esos cuadros y esculturas?

Le corresponderá el importe resultante de aplicar el 95 % al valor de los bienes que formen parte del Patrimonio Histórico español. Esto es, podrá aplicarse una reducción de 285.000 euros.

‖ Reducción por transmisión consecutiva de bienes *mortis causa*

Conforme al artículo 20.3 de la LISD, si unos mismos bienes en un período máximo de **diez años** fueran objeto de **dos o más transmisiones *mortis causa* en favor de descendientes**, en la segunda y ulteriores se deducirá de la base imponible, además, el importe de lo satisfecho por el impuesto en las transmisiones precedentes. Se admitirá la subrogación de los bienes cuando se acredite fehacientemente.

‖ Reducciones por transmisión de explotaciones agrarias, previstas en la Ley de Modernización de las Explotaciones Agrarias

Los artículos 9 a 11 de la Ley 19/1995, de 4 de julio, de Modernización de las Explotaciones Agrarias, así como su disposición adicional cuarta contemplan una serie de reducciones aplicables a supuestos de transmisión de explotaciones agrarias.

Se trata de **reducciones que son incompatibles con las establecidas en la Ley del Impuesto sobre Sucesiones y Donaciones** (las enumeradas en los apartados anteriores). Son reducciones más específicas, que se aplican en supuestos más concretos. Sin embargo, algunos de los hechos imponibles que determinarían la aplicación de unas u otras pueden ser coincidentes, lo que supondría la aplicación de unas u otras según la opción de los interesados, de manera que un mismo bien no dé lugar a dos reducciones.

En particular, la Ley de Modernización de las Explotaciones Agrarias configura las reducciones para los supuestos de adquisición *mortis causa* del siguiente modo:

- La transmisión o adquisición *mortis causa* del pleno dominio o del usufructo vitalicio de una explotación agraria en su integridad, en favor o por el titular de otra explotación que sea prioritaria o que alcance esta consideración como consecuencia de la adquisición gozará de una reducción del 90 % de la base imponible del impuesto que grave la transmisión o adquisición de la explotación o de sus elementos integrantes, siempre que, como consecuencia de dicha transmisión, no se altere la condición de prioritaria de la explotación del adquirente. La transmisión de la explotación deberá realizarse en escritura pública. La reducción se elevará al 100 % en caso de continuación de la explotación por el cónyuge supérstite. Se entenderá, a estos efectos, que hay transmisión de una explotación agraria en su integridad, aun cuando se excluya la vivienda.

Para que se proceda a dicha reducción, se hará constar en la escritura pública de adquisición, y en el registro de la propiedad, si las fincas transmitidas estuviesen inscritas en el mismo, que si las fincas adquiridas fuesen enajenadas, arrendadas o cedidas durante el plazo de los cinco años siguientes, deberá justificarse previamente el pago del impuesto correspondiente, o de la parte del mismo, que se hubiese dejado de ingresar como consecuencia de la reducción practicada y los intereses de demora, excepción hecha de los supuestos de fuerza mayor.

- La transmisión o adquisición *mortis causa* de terrenos, que se realicen para completar bajo una sola linde la superficie suficiente para constituir una explotación prioritaria, estará exenta del impuesto que grave la transmisión o adquisición, siempre que en el documento público de adquisición se haga constar la indivisibilidad de la finca resultante durante el plazo de cinco años, salvo supuestos de fuerza mayor.

  Cuando la transmisión o adquisición de los terrenos se realicen por los titulares de explotaciones agrarias con la pretensión de completar bajo una sola linde el 50 %, al menos, de la superficie de una explotación cuya renta unitaria de trabajo esté dentro de los límites establecidos en la norma a efectos de concesión de beneficios fiscales para las explotaciones prioritarias, se aplicará una reducción del 50 % en la base imponible del impuesto que grave la transmisión o adquisición. La aplicación de la reducción estará sujeta a las mismas exigencias de indivisibilidad y documento público de adquisición señalados en el apartado anterior.

- En la transmisión o adquisición *mortis causa* del pleno dominio o del usufructo vitalicio de una finca rústica o de parte de una explotación agraria, en favor de un titular de explotación prioritaria que no pierda o que alcance esta condición como consecuencia de la adquisición, se aplicará una reducción del 75 % en la base imponible de los impuestos que graven la transmisión o adquisición. Para la aplicación del beneficio, deberá realizarse la transmisión en escritura pública y será de aplicación lo establecido en el segundo párrafo del primer punto de esta enumeración.

- En las transmisiones *mortis causa* de superficies rústicas de dedicación forestal, tanto en pleno dominio como en nuda propiedad, se practicará una reducción en la base imponible del impuesto correspondiente, según la siguiente escala:

» Del 90 % para superficies incluidas en Planes de protección por razones de interés natural aprobados por el órgano competente de la comunidad autónoma, o, en su caso, por el correspondiente del Ministerio de Agricultura, Pesca y Alimentación.

» Del 75 % para superficies con un Plan de ordenación forestal o un Plan técnico de gestión y mejora forestal, o figuras equivalentes de planificación forestal, aprobado por la Administración competente.

» Del 50 % para las demás superficies rústicas de dedicación forestal, siempre que, como consecuencia de dicha transmisión, no se altere el carácter forestal del predio y no sea transferido por razón de *inter vivos*, arrendada o cedida su explotación por el adquirente, durante los cinco años siguientes al de la adquisición.

De la misma reducción gozará la extinción del usufructo que se hubiera reservado el transmitente.

Estas bonificaciones fiscales serán de aplicación, en la escala que corresponda, a la totalidad de la explotación agraria en la que la superficie de dedicación forestal sea superior al 80 % de la superficie total de la explotación.

Las deducciones y bonificaciones estatales

A nivel estatal, la normativa del ISD regula una deducción por doble imposición internacional y una bonificación de la cuota en Ceuta y Melilla (artículos 23 y 23 bis de la LISD).

Deducción por doble imposición internacional en la normativa estatal del ISD

Cuando la sujeción al impuesto se produzca por obligación personal (básicamente, por ser residente habitual en España, caso en el que se tributará en España con independencia de dónde estén situados los bienes o derechos), el contribuyente tendrá derecho a **deducir la menor de las dos cantidades siguientes**:

• El importe efectivo de lo satisfecho en el extranjero por razón de impuesto similar que afecte al incremento patrimonial sometido a gravamen en España.

• El resultado de aplicar el tipo medio efectivo de este impuesto al incremento patrimonial correspondiente a bienes que radiquen o derechos que puedan ser ejercitados fuera de España, cuando hubiesen sido sometidos a gravamen en el extranjero por un impuesto similar.

Bonificación de la cuota en Ceuta y Melilla

En las cuotas del impuesto derivadas de adquisiciones por causa de muerte y las cantidades percibidas por los beneficiarios de seguros sobre la vida, que se acumulen al resto de bienes y derechos que integran la porción here-ditaria del beneficiario, se efectuará una bonificación del **50 % de la cuota**, siempre que el causante hubiera tenido su residencia habitual a la fecha del devengo en Ceuta o Melilla y durante los cinco años anteriores, contados fe-cha a fecha, que finalicen el día anterior al del devengo.

No obstante, la bonificación anterior se elevará al **99 %** para los causa-habientes comprendidos, según el grado de parentesco, en los grupos I y II de parentesco mencionados al tratar de la reducción por parentesco con el causante.

CUESTIONES

1. Un residente en Ceuta desde el año 2009 fallece en marzo de 2026 dejando todos sus bienes y derechos a su única hija y heredera, residente en Madrid. La cuota que resulta a pagar por la sucesión es de 10.000 euros. La heredera se pregunta si puede aplicar la bonificación de la cuota por haber sido su padre residente en Ceuta durante los últimos 17 años.

Parece que sí que procedería la bonificación, ya que el causante tenía su resi-dencia habitual en Ceuta y Melilla en la fecha de devengo del impuesto y durante los cinco años anteriores a ella.

2. Dicha persona se planteó mudarse a vivir con su hija en enero de 2024. Si lo hubiera hecho, ¿podría aplicarse la bonificación?

No, puesto que no se cumpliría el requisito de residencia del causante en Ceuta y Melilla en el momento del devengo y en los cinco años anteriores.

4.5. Referencia a las especialidades autonómicas en materia de beneficios fiscales

Las reducciones, deducciones y bonificaciones autonómicas para las sucesiones

Tras haber estudiado los beneficios fiscales establecidos a nivel estatal, ahora nos limitaremos a enumerar las reducciones y deducciones que para las sucesiones contempla cada comunidad autónoma de régimen común (queda-rían fuera el País Vasco y Navarra, que gozan de un régimen tributario especial). También nos referiremos a las bonificaciones, incidiendo un poco más sobre ellas, dado el gran impacto que pueden tener sobre la cuota a pagar, pues en algunos casos pueden llegar incluso a anular la tributación por el impuesto.

|| Andalucía

Su regulación se contiene en los artículos 26 y siguientes de la Ley 5/2021, de 20 de octubre, de Tributos Cedidos de la Comunidad Autónoma de Andalucía.

En esta comunidad se han aprobado las siguientes mejoras de las reducciones estatales para los casos de adquisición *mortis causa*:

- **Mejora de la reducción estatal por adquisición de la vivienda habitual.**
- **Mejora de la reducción estatal por la adquisición por personas con parentesco.**
- **Mejora de la reducción estatal por adquisiciones para contribuyentes con discapacidad.**
- **Mejora de la reducción estatal por adquisición de empresas individuales o negocios profesionales.**
- **Mejora de la reducción estatal por adquisición de participaciones en entidades.**

Asimismo, se establecen **bonificaciones en las adquisiciones *mortis causa* por parentesco.** Los contribuyentes incluidos en los grupos I y II de parentesco o equiparados por la legislación andaluza, aplicarán una bonificación del 99 % en la cuota tributaria derivada de adquisiciones *mortis causa*, incluidas las de los beneficiarios de pólizas de seguro de vida.

|| Aragón

En Aragón, la regulación en este ámbito se recoge en los artículos 131-1 y siguientes del Decreto Legislativo 1/2005, de 26 de septiembre, del Gobierno de Aragón, por el que se aprueba el texto refundido de las disposiciones dictadas por la Comunidad Autónoma de Aragón en materia de tributos cedidos.

Esta comunidad ha aprobado las siguientes reducciones propias y mejoras de las estatales en caso de adquisición *mortis causa*:

- **Mejora de la reducción por adquisición *mortis causa* de la vivienda habitual del fallecido.**
- **Mejora de la reducción estatal por adquisición *mortis causa* por hermanos de la persona fallecida.**
- **Reducción propia en adquisiciones *mortis causa* realizadas por hijos del causante menores de edad.**
- **Reducción propia por adquisición *mortis causa* por personas con discapacidad.**
- **Reducción propia por adquisición *mortis causa* de empresa individual o negocio profesional o participaciones en entidades.**
- **Reducción propia por adquisición *mortis causa* por parte del cónyuge, ascendientes y descendientes.**
- **Reducción propia por adquisición *mortis causa* de empresa individual, negocio profesional o participaciones en entidades por causahabientes que no sean cónyuge o descendientes.**
- **Reducción propia por creación de empresas y empleo.**

- **Reducción propia por adquisición *mortis causa* por descendientes, ascendientes y cónyuge del fallecido por actos de terrorismo o violencia de género.**

En cuanto a las bonificaciones:

- Se establece una **bonificación por la adquisición *mortis causa* de la vivienda habitual del causante.** El cónyuge, los ascendientes y los descendientes podrán aplicar una bonificación del 65 % en la cuota tributaria derivada de la adquisición de la vivienda habitual del causante; siempre y cuando se mantenga la vivienda adquirida durante los cinco años siguientes al fallecimiento del causante, salvo que el adquirente falleciese durante ese plazo. Para aplicar la bonificación el valor de la vivienda deberá ser igual o inferior a 300.000 euros.

- Asimismo, también se prevé una **bonificación en la cuota tributaria por adquisición *mortis causa* por descendientes menores de 21 años**, introducida a finales de 2023 y con efectos desde el 1 de enero de 2024. En las adquisiciones por causa de muerte, incluidas las de los beneficiarios de pólizas de seguro de vida, de los sujetos pasivos incluidos en el grupo I de parentesco se aplicará una bonificación del 99 % en la cuota tributaria derivada de las mismas.

‖ Asturias

En esta comunidad, la regulación en la materia se recoge en los artículos 17 y siguientes del Decreto Legislativo 2/2014, de 22 de octubre, por el que se aprueba el Texto Refundido de las disposiciones legales del Principado de Asturias en materia de tributos cedidos por el Estado.

Se contemplan las siguientes reducciones para adquisiciones *mortis causa*:

- **Mejora de la reducción estatal para contribuyentes de los grupos I y II de parentesco.**

- **Mejora de la reducción estatal por adquisición de la vivienda habitual del causante.**

- **Reducción propia por adquisición de la empresa individual, negocio profesional o participaciones en entidades por herederos con grado de parentesco con el causante.**

- **Reducción propia por adquisición de explotaciones agrarias y de elementos afectos a ellas.**

- **Reducción propia por la adquisición de empresas individuales, negocios profesionales y participaciones en entidades por herederos sin grado de parentesco con el causante.**

- **Reducción propia por adquisición de bienes destinados a la constitución, ampliación o adquisición de una empresa individual o negocio profesional, o para la participación en su constitución.**

Asimismo, se establece una **bonificación en las adquisiciones *mortis causa* por contribuyentes con un grado discapacidad reconocido igual o superior al 65 %**, del 100 % de la cuota que resulte después de aplicar las deducciones estatales y autonómicas que, en su caso, procedan, siempre que el patrimonio preexistente del heredero no sea superior a 402.678,11 euros.

|| Cantabria

Su regulación se contiene en el artículo 5 del Decreto Legislativo 62/2008, de 19 de junio, por el que se aprueba el texto refundido de la Ley de Medidas Fiscales en materia de Tributos cedidos por el Estado.

En Cantabria se han aprobado las siguientes mejoras y reducciones propias para adquisiciones *mortis causa*:

- **Mejora de la reducción estatal por parentesco.**
- **Mejora de la reducción estatal por cantidades percibidas por beneficiarios de contratos de seguros de vida.**
- **Mejora de la reducción estatal por discapacidad.**
- **Mejora de la reducción estatal por adquisición de empresa individual, negocio profesional o participaciones en entidades.**
- **Mejora de la reducción estatal por adquisición de la vivienda habitual del causante.**
- **Mejora de la reducción estatal por adquisiciones de bienes del Patrimonio Histórico español o del Patrimonio Histórico o Cultural de las CCAA.**
- **Reducción propia por adquisición por reversión de bienes aportados a patrimonios protegidos.**
- **Deducción en segundas y ulteriores transmisiones del importe de lo satisfecho por el impuesto en las precedentes.**

Esta comunidad prevé también una **bonificación del 100 % de la cuota tributaria en las adquisiciones *mortis causa* de los contribuyentes incluidos en los grupos I y II de parentesco**; y una **bonificación del 50 % en las de los colaterales de segundo grado por consanguinidad del grupo III de parentesco** (esta última se introdujo a finales de 2023, con entrada en vigor el 1 de enero de 2024). A estos efectos, además, se asimilarán a los descendientes incluidos en el grupo II aquellas personas llamadas a la herencia y pertenecientes a los grupos III y IV, vinculadas al causante con discapacidad como tutor, curador o guardador de hecho judicialmente declarados o, en este último caso, reconocido administrativamente, protocolizada dicha figura a instancia del causante o que acredite la convivencia con el causante al menos los dos años inmediatamente anteriores a su fallecimiento.

|| Castilla-La Mancha

En Castilla-La Mancha la regulación se contiene en los artículos 14 y siguientes de la Ley 8/2013, de 21 de noviembre, de Medidas Tributarias de Castilla-La Mancha.

En concreto, en ella se contemplan las siguientes mejoras de reducciones estatales y reducciones propias para las adquisiciones *mortis causa*:

- **Mejora de la reducción estatal por discapacidad.**
- **Reducción propia por adquisición de empresa individual, negocio profesional o participaciones en entidades.**

Se contemplan también las siguientes bonificaciones para las adquisiciones *mortis causa*, incluida la percepción de cantidades por beneficios de seguros de vida:

- **Bonificación por parentesco de los grupos I y II**. Se establece la siguiente escala en función del importe de la base liquidable:

  » Declaraciones tributarias cuya base liquidable sea inferior a 175.000 euros, bonificación del 100 % de la cuota tributaria.

  » Declaraciones tributarias cuya base liquidable sea igual o superior a 175.000 euros e inferior a 225.000 euros, bonificación del 95 % de la cuota tributaria.

  » Declaraciones tributarias cuya base liquidable sea igual o superior a 225.000 euros e inferior a 275.000 euros, bonificación del 90 % de la cuota tributaria.

  » Declaraciones tributarias cuya base liquidable sea igual o superior a 275.000 euros e inferior a 300.000 euros, bonificación del 85 % de la cuota tributaria.

  » Declaraciones tributarias cuya base liquidable sea igual o superior a 300.000 euros, bonificación del 80 % de la cuota tributaria.

- **Bonificación por discapacidad y aportaciones al patrimonio protegido de las personas con discapacidad.** Los sujetos pasivos con un grado de discapacidad igual o superior al 65 % podrán aplicarse una bonificación del 95 % de la cuota tributaria. El mismo porcentaje de bonificación se aplicará a las aportaciones sujetas al impuesto que se realicen al patrimonio protegido de las personas con discapacidad. Estas bonificaciones son compatibles con la del punto anterior y se aplicarán con posterioridad a la misma.

‖ Castilla y León

En Castilla y León debe acudirse a los artículos 12 y siguientes del Decreto Legislativo 1/2013, de 12 de septiembre, por el que se aprueba el texto refundido de las disposiciones legales de la Comunidad de Castilla y León en materia de tributos propios y cedidos.

En particular, esta comunidad ha aprobado las siguientes reducciones propias y mejoras de las estatales en caso de adquisiciones *mortis causa*:

- **Mejora de la reducción estatal por discapacidad.**
- **Reducción aplicable en las adquisiciones por descendientes, adoptados, cónyuges, ascendientes y adoptantes (en unos casos es mejora y en otros es reducción propia).**
- **Reducción propia por adquisición de bienes muebles integrantes del patrimonio cultural.**

- **Reducción propia por indemnizaciones a los herederos de los afectados por el síndrome tóxico, víctimas del terrorismo y de violencia de género.**
- **Reducción propia cuando el causante sea víctima de violencia de género o del terrorismo o cuando el adquirente sea víctima del terrorismo.**
- **Reducción propia por adquisición de explotaciones agrarias o su usufructo.**
- **Reducción propia por adquisición de empresa individual, negocio profesional o participaciones en entidades.**

Se contempla, asimismo, una **bonificación para cónyuges, descendientes o adoptados, o ascendientes o adoptantes del causante,** del 99 % de la cuota del impuesto derivada de adquisiciones lucrativas *mortis causa* y de cantidades percibidas por los beneficiarios de seguros sobre la vida que se acumulen al resto de los bienes y derechos que integran la porción hereditaria.

|| Cataluña

Cataluña regula esta materia en los artículos 631-1 y siguientes del Decreto Legislativo 1/2024, de 12 de marzo, por el que se aprueba el libro sexto del Código tributario de Catalunya, que integra el texto refundido de los preceptos legales vigentes en Catalunya en materia de tributos cedidos; norma que entró en vigor el 15 de marzo de 2024.

Esta comunidad establece las siguientes reducciones propias o mejoras de reducciones estatales para los supuestos de adquisición *mortis causa*:

- **Mejora de la reducción estatal por parentesco.**
- **Mejora en la reducción estatal por discapacidad.**
- **Mejora de la reducción estatal por seguros de vida.**
- **Mejora de la reducción por adquisición de bienes y derechos afectos a una actividad económica.**
- **Mejora de la reducción por adquisición de participaciones en entidades.**
- **Mejora de la reducción estatal por adquisición de vivienda habitual del causante.**
- **Mejora de la reducción estatal por adquisición de determinadas fincas rústicas de dedicación forestal.**
- **Mejora de la reducción por adquisición de bienes del patrimonio cultural.**
- **Mejora de la reducción por sobreimposición decenal (segundas y ulteriores transmisiones *mortis causa*).**
- **Reducción propia para personas mayores.**
- **Reducción propia por adquisición de participaciones en entidades por personas con vínculos laborales o profesionales.**

- **Reducción propia por bienes utilizados en la explotación agraria del causahabiente.**
- **Reducción propia por adquisición de bienes del patrimonio natural.**

Asimismo, se prevé una **bonificación por parentesco.** Los cónyuges pueden aplicar una bonificación del 99 % de la cuota tributaria del impuesto en las adquisiciones por causa de muerte, incluidas las cantidades percibidas por las personas beneficiarias de seguros de vida que se acumulan al resto de bienes y derechos que integran su porción hereditaria. El resto de los grupos I y II de parentesco podrán aplicar un porcentaje de bonificación variable en función de determinadas escalas establecidas en el artículo 633.4 del Decreto Legislativo 1/2024, de 12 de marzo.

‖ Comunidad Valenciana

En la Comunidad Valenciana, la regulación de estas cuestiones se contiene en los artículos 10 y siguientes de la Ley 13/1997, de 23 de diciembre, por la que se regula el tramo autonómico del Impuesto sobre la Renta de las Personas Físicas y restantes tributos cedidos. Además, algunas de las reducciones se contemplan en el artículo 80 de la Ley 5/2019, de 28 de febrero, de estructuras agrarias de la Comunidad Valenciana.

En particular, en esta norma se contienen las siguientes reducciones propias o mejoras de las estatales para adquisiciones *mortis causa:*

- **Mejora de la reducción estatal por parentesco.**
- **Mejora de la reducción estatal por discapacidad.**
- **Mejora de la reducción estatal por adquisición de la vivienda habitual del causante.**
- **Reducción propia por adquisición de empresa individual agrícola.**
- **Reducción propia por adquisiciones de bienes del patrimonio cultural valenciano.**
- **Reducción propia por adquisición de empresa familiar o negocio profesional, o de participaciones en entidades.**
- **Reducción propia por adquisición de explotaciones agrarias o elementos de ellas.**
- **Reducción propia por adquisición de fincas rústicas en determinados términos.**

Se regula, asimismo, una **bonificación del 99 %** sobre la parte de la cuota tributaria del ISD que proporcionalmente corresponda a los bienes y derechos declarados por el sujeto pasivo, en las adquisiciones *mortis causa* efectuadas por parientes del causante de los grupos I y II de parentesco; así como en las realizadas por personas con discapacidad física o sensorial con un grado de discapacidad igual o superior al 65 % o por personas con discapacidad psíquica con un grado de discapacidad igual o superior al 33 %. La bonificación se aplica en estos términos desde el 28 de mayo de 2023, pues antes los porcentajes eran distintos.

|| Extremadura

En Extremadura debe acudirse a este respecto a los artículos 16 y siguientes del Decreto Legislativo 1/2018, de 10 de abril, por el que se aprueba el texto refundido de las disposiciones legales de la Comunidad Autónoma de Extremadura en materia de tributos cedidos por el Estado.

Recoge las siguientes reducciones propias o mejoras de las estatales para los supuestos de adquisición *mortis causa*:

- **Mejora de la reducción estatal por parentesco de los grupos I y II.**
- **Mejora de la reducción estatal por discapacidad.**
- **Reducción por adquisición de empresas individuales o negocios profesionales.**
- **Reducción por adquisición de participaciones en entidades societarias.**

Asimismo, esta comunidad autónoma regula una **bonificación por parentesco.** En las adquisiciones *mortis causa* por sujetos pasivos de los grupos I y II de parentesco, incluidas las cantidades percibidas por las personas beneficiarias de seguros sobre la vida, se practicará una bonificación autonómica del 99 % del importe de la cuota. El disfrute de esta bonificación requiere que se presente la declaración o autoliquidación del impuesto en el plazo reglamentariamente establecido.

|| Galicia

La regulación de Galicia en este ámbito se recoge en los artículos 6 y siguientes del Decreto Legislativo 1/2011, de 28 de julio, por el que se aprueba el texto refundido de las disposiciones legales de la Comunidad Autónoma de Galicia en materia de tributos cedidos por el Estado.

Se contemplan en ella las siguientes reducciones para los supuestos de adquisición *mortis causa:*

- **Mejora de la reducción estatal por parentesco.**
- **Mejora de la reducción estatal por discapacidad.**
- **Mejora de la reducción estatal por adquisición de la vivienda habitual del causante.**
- **Reducción propia por indemnizaciones a herederos de afectados por el síndrome tóxico y derivadas de actos de terrorismo.**
- **Reducción propia por adquisición de empresa individual, negocio profesional o participaciones en entidades.**
- **Reducción propia por adquisición de explotaciones agrarias y elementos afectos a ella.**
- **Reducción propia por adquisición de fincas rústicas.**
- **Reducción propia por adquisición de fincas forestales que formen parte de la superficie de gestión y comercialización conjunta de producciones que realicen agrupaciones de propietarios forestales dotadas de personalidad jurídica.**

- **Reducción propia por adquisición de bienes destinados a la constitución o adquisición de una empresa o negocio profesional.**

Asimismo, la normativa gallega prevé las siguientes deducciones:

- **Deducción en adquisiciones *mortis causa* por personas del grupo I de parentesco**, incluidas las cantidades percibidas por las personas beneficiarias de seguros sobre la vida. La deducción será del 99 % del importe de la cuota.

- **Deducción por pago de la tasa para la valoración previa de bienes inmuebles.** Cuando se haya solicitado de la Administración la valoración previa de bienes inmuebles, pagada la tasa correspondiente y presentada la valoración junto con la declaración del impuesto, se podrá deducir de la cuota tributaria el importe satisfecho por la tasa (apartado 2 del artículo 26 del Decreto Legislativo 1/2011, de 28 de julio).

‖ Islas Baleares

En las Islas Baleares la regulación se contiene en los artículos 20 y siguientes del Decreto Legislativo 1/2014, de 6 de junio, por el que se aprueba el Texto Refundido de las disposiciones legales de la Comunidad Autónoma de las Islas Baleares en materia de tributos cedidos por el Estado.

Esta comunidad autónoma contempla las siguientes reducciones propias y mejoras de las estatales para los casos de adquisición *mortis causa:*

- **Mejora de la reducción estatal por parentesco.**
- **Mejora de la reducción estatal por discapacidad.**
- **Mejora de la reducción estatal por adquisición de la vivienda habitual del causante.**
- **Mejora de la reducción estatal por cantidades percibidas por los beneficiarios de contratos de seguros sobre la vida.**
- **Mejora de la reducción estatal por adquisición de empresa individual, negocio profesional o de participaciones en entidades.**
- **Mejora de la reducción estatal por adquisición de bienes integrantes del patrimonio histórico o cultural.**
- **Mejora de la reducción estatal por transmisión consecutiva de bienes.**
- **Reducción propia por adquisiciones de dinero para la creación de nuevas empresas y de empleo.**
- **Reducción propia por adquisiciones de bienes culturales para la creación de empresas culturales, científicas o de desarrollo tecnológico.**
- **Reducción propia por adquisición de bienes para la creación de empresas deportivas.**
- **Reducción propia por adquisición de determinados bienes y participaciones en áreas de suelo rústico protegido o en áreas de interés agrario.**
- **Reducción por adquisición de determinados vehículos (cero emisiones y ECO).**

En cuanto al as bonificaciones, se regula una **bonificación por parentesco (grupos I, II y III de parentesco)**, sometida a determinados requisitos que especifica la norma:

- En las adquisiciones por causa de muerte, incluidos los pactos sucesorios, en las que los sujetos pasivos por obligación personal de contribuir formen parte de los grupos I o II de parentesco, se podrá aplicar una bonificación del 100 % sobre la cuota íntegra corregida.

- En las adquisiciones por causa de muerte, incluidos los pactos sucesorios, en las que los sujetos pasivos por obligación personal de contribuir sean colaterales de segundo o tercer grado por consanguinidad del causante incluidos en el grupo III de parentesco y no concurran con descendientes o adoptados del causante, o concurran con descendientes o adoptados del causante desheredados, se podrá aplicar una bonificación del 50 % sobre la cuota íntegra corregida. Para el resto de los sujetos pasivos del citado grupo III se podrá aplicar una bonificación del 25 % sobre la cuota íntegra corregida.

Estas bonificaciones fueron objeto de modificación en el año 2023, aplicándose los porcentajes y la configuración que acaban de señalarse desde el 18 de julio de 2023 (antes eran distintos).

|| Islas Canarias

La regulación de esta comunidad autónoma se establece en los artículos 19 y siguientes del Decreto-Legislativo 1/2009, de 21 de abril, por el que se aprueba el Texto Refundido de las disposiciones legales vigentes dictadas por la Comunidad Autónoma de Canarias en materia de tributos cedidos.

Se prevén las siguientes reducciones propias o mejoras de las estatales en el caso de transmisiones *mortis causa*:

- **Mejora de la reducción estatal por parentesco.**
- **Mejora de la reducción estatal por discapacidad.**
- **Mejora de la reducción estatal por cantidades percibidas como beneficiario de seguros sobre la vida.**
- **Mejora de la reducción estatal por adquisición de empresa individual, negocio profesional o participaciones en entidades.**
- **Mejora de la reducción estatal por adquisición de la vivienda habitual del causante.**
- **Mejora de la reducción estatal por adquisición de bienes integrantes del patrimonio histórico o cultural.**
- **Mejora de la reducción estatal por segundas y ulteriores transmisiones en 10 años (sobreimposición decenal).**
- **Reducción propia por adquisiciones por personas de 75 o más años.**
- **Reducción propia por adquisición de bienes integrantes del patrimonio natural.**

Asimismo, la legislación canaria establece una **bonificación de la cuota por parentesco.** Los sujetos pasivos de los grupos I, II y III de parentesco aplicarán una bonificación del 99,9 % de la cuota tributaria derivada de las adquisiciones *mortis causa* y de cantidades percibidas por los beneficiarios de seguros sobre la vida que se acumulen al resto de bienes y derechos que integran la porción hereditaria del beneficiario. Este porcentaje y esta configuración de la bonificación es fruto de una reforma operada en la norma en septiembre de 2023 y se aplica desde el 6 de septiembre de dicho año (con carácter previo, se establecían distintos porcentajes decrecientes en función del grado de parentesco y de la cuota tributaria).

‖ La Rioja

La Rioja regula estas cuestiones en los artículos 34 y siguientes de la Ley 10/2017, de 27 de octubre, por la que se consolidan las disposiciones legales de la Comunidad Autónoma de La Rioja en materia de impuestos propios y tributos cedidos.

Se contemplan las siguientes reducciones para las adquisiciones *mortis causa*:

- **Reducción propia por adquisición de empresas individuales, negocios profesionales y participaciones en entidades.**
- **Reducción propia por adquisición de explotaciones agrarias.**
- **Reducción propia por adquisición de la vivienda habitual del causante.**

También establece **deducciones**, en los siguientes términos:

- En las adquisiciones *mortis causa* por **sujetos pasivos incluidos en los grupos I y II de parentesco**, se aplicará una deducción del 99 % de la cuota que resulte después de aplicar las deducciones estatales y autonómicas. La deducción se aplica en los términos señalados desde el 9 de febrero de 2024 (con carácter previo, su porcentaje variaba según la base liquidable).
- Si entre los bienes o derechos incluidos en el caudal relicto y computados para la determinación de la base imponible figurase alguno que hubiera sido o fuera a ser destinado durante el año posterior a la fecha de devengo del impuesto a la **constitución de una fundación o ampliación de la dotación fundacional de una existente**, siempre que esté domiciliada en La Rioja e inscrita en el censo de entidades y actividades en materia de mecenazgo y persiga fines incluidos en la Estrategia Regional de Mecenazgo, el contribuyente podrá aplicar una deducción del 25% de la aportación. La cantidad que no pueda ser deducida por insuficiencia de cuota se podrá utilizar como crédito fiscal en los términos previstos en el capítulo II de la Ley de Mecenazgo de la Comunidad Autónoma de La Rioja.

A TENER EN CUENTA. Las deducción autonómicas para adquisiciones mortis causa establecidas en el artículo 37 de la Ley 10/2017, de 27 de octubre, serán aplicables a las personas que, cualesquiera fuera su relación, hayan mantenido una convivencia estable en el mismo domicilio durante, al menos, los 15 años inmediatamente anteriores a la fecha de devengo del impuesto, en los términos establecidos en el artículo 37 bis del mismo texto legal introducido por la Ley 6/2024, de 27 de diciembre y con entrada en vigor el 1 de enero de 2025.

|| Madrid

La regulación de Madrid en este ámbito se contiene en los artículos 21 y siguientes del Decreto Legislativo 1/2010, de 21 de octubre, del Consejo de Gobierno, por el que se aprueba el Texto Refundido de las Disposiciones Legales de la Comunidad de Madrid en materia de tributos cedidos por el Estado.

En particular, esta comunidad autónoma contempla las siguientes reducciones en caso de adquisiciones *mortis causa*:

- **Mejora de la reducción estatal por parentesco.**
- **Mejora de la reducción estatal por discapacidad.**
- **Mejora de la reducción estatal por seguros sobre la vida.**
- **Mejora de la reducción estatal por adquisición de empresa individual, negocio profesional o participaciones en entidades.**
- **Mejora de la reducción estatal por adquisición de la vivienda habitual del causante.**
- **Mejora de la reducción estatal por adquisición de bienes del patrimonio histórico o cultural.**
- **Reducción propia por indemnizaciones a los herederos de los afectados por el síndrome tóxico.**
- **Reducción propia por prestaciones públicas extraordinarias por actos de terrorismo percibidas por los herederos.**

La legislación madrileña contempla asimismo **bonificaciones por parentesco**:

- Los sujetos pasivos incluidos en los **grupos I y II** de parentesco aplicarán una bonificación del 99 % en la cuota tributaria derivada de adquisiciones *mortis causa* y de cantidades percibidas por beneficiarios de seguros sobre la vida que se acumulen al resto de bienes y derechos que integren la porción hereditaria del beneficiario.
- Los sujetos pasivos que sean **colaterales de segundo o tercer grado por consanguinidad** del causante, incluidos en el grupo III de parentesco, aplicarán una bonificación del 25 %, de la cuota tributaria derivada de las mismas adquisiciones a que se refiere el punto anterior. Esta bonificación será aplicable, exclusivamente, sobre la parte de la cuota que proporcionalmente corresponda a los bienes y derechos declarados por el sujeto pasivo, considerándose como tales a los que se encuentren incluidos de forma completa en una autoliquidación o declaración presentada dentro del plazo voluntario o fuera de este sin que se haya efectuado un requerimiento previo de la Administración tributaria.

|| Región de Murcia

En Murcia debe acudirse a este respecto a los artículos 3 y siguientes del Decreto Legislativo 1/2010, de 5 de noviembre, por el que se aprueba el Texto Refundido de las disposiciones legales vigentes en la Región de Murcia en materia de tributos cedidos.

En este caso, se establecen las siguientes reducciones para las adquisiciones por causa de muerte:

- **Reducción propia por adquisición de empresa individual, negocio profesional o participaciones en entidades.**
- **Reducción propia por adquisición de bienes incluidos en el Catálogo del Patrimonio Cultural de la Comunidad Autónoma de la Región de Murcia para su cesión temporal.**
- **Reducción propia por adquisición de fincas rústicas.**

Asimismo, esta comunidad autónoma regula una **bonificación por parentesco para los grupos I y II.** En las adquisiciones *mortis causa* por sujetos pasivos incluidos en los grupos I y II de parentesco se aplicará una deducción autonómica del 99 % de la cuota que resulte después de aplicar las deducciones estatales y autonómicas que, en su caso, procedan.

4.6. La presentación de liquidaciones parciales y el pago del impuesto. Aplazamientos y fraccionamientos

La presentación de liquidaciones o autoliquidaciones parciales a cuenta del Impuesto sobre Sucesiones

Los interesados en sucesiones hereditarias podrán solicitar de la oficina competente, dentro de los plazos establecidos para la presentación de documentos o declaraciones, que se practique liquidación parcial del impuesto **a los solos efectos de cobrar seguros sobre la vida, créditos del causante, haberes devengados y no percibidos por el mismo, o retirar bienes, valores, efectos o dinero que se hallasen en depósito, o bien en otros supuestos análogos** en los que, con relación a bienes en distinta situación, existan **razones suficientes que justifiquen la práctica** de liquidación parcial.

Para ello, los interesados deberán presentar en la oficina competente un escrito, por duplicado, relacionando los bienes para los que se solicita la liquidación parcial, con expresión de su valor y de la situación en la que se encuentren, del nombre de la persona o entidad que, en su caso, deba proceder al pago o a la entrega de los bienes y del título acreditativo del derecho del solicitante o solicitantes.

A la vista de la declaración presentada, la oficina girará liquidación parcial, **aplicando sobre el valor de los bienes a que la solicitud se refiere, sin reducción alguna, la tarifa del impuesto y el coeficiente multiplicador mínimo correspondiente en función del patrimonio preexistente**. Una vez ingresado el importe de la liquidación parcial, se entregará al interesado un ejemplar del escrito de solicitud presentado con la nota del ingreso. La presentación de este escrito acreditará, ante la persona que deba proceder a la entrega o al pago que, fiscalmente, queda autorizada la entrega, el pago o la retirada del dinero o de los bienes depositados.

Estas **liquidaciones parciale**s tendrán el carácter de **ingresos a cuenta de la posterior liquidación definitiva** que proceda por la sucesión de que se trate.

Por otra parte, en las liquidaciones parciales que se practiquen para el cobro de seguros sobre la vida de cualquier tipo, se tendrán en cuenta las reducciones estatales aplicables, con sus requisitos y límites.

En el caso de que se lleven a cabo **autoliquidaciones parciales a cuenta**, los sujetos pasivos, previa conformidad de todos en caso de ser más de uno, podrán proceder a la práctica de una autoliquidación parcial del impuesto a los solos efectos de cobrar seguros sobre la vida, créditos del causante, haberes devengados y no percibidos por el mismo o retirar bienes, valores, efectos o dinero que se encuentren en depósito, o bien en otros supuestos análogos en los que con relación a otros bienes en distinta situación, existan razones suficientes que justifiquen la práctica de autoliquidación parcial. Los sujetos pasivos que presenten la autoliquidación parcial quedarán obligados a, posteriormente, presentar la autoliquidación por la totalidad de los bienes y derechos que hayan adquirido.

La autoliquidación deberá practicarse aplicando sobre el valor de los bienes a que se refiera, sin reducción alguna, la tarifa del impuesto y los coeficientes multiplicadores mínimos correspondientes en función del patrimonio preexistente. Ingresado el importe de la autoliquidación parcial, se presentará en la oficina competente un ejemplar del impreso de autoliquidación donde conste el ingreso, acompañado de una relación por duplicado en la que se describan los bienes a que se refiera, su valor y la situación en que se encuentren, así como el nombre de la persona o entidad que deba proceder al pago o a la entrega de los bienes, y del título acreditativo del derecho del solicitante o solicitantes, devolviéndose por la oficina uno de los ejemplares de la relación con la nota del ingreso.

Al igual que para las liquidaciones, el ingreso efectuado en virtud de autoliquidación parcial tendrá el carácter de **ingreso a cuenta de la liquidación definitiva** que proceda por la sucesión hereditaria de que se trate.

CUESTIONES

1. Una persona fallece en diciembre de 2026, dejando todos sus bienes y derechos a su hija, como única heredera. Asimismo, la hija es beneficiaria de un seguro de vida que había contratado el causante, por un importe de 100.000 euros. La hija del fallecido se pregunta si podría cobrar el seguro antes de presentar el ISD por toda la herencia, puesto que el dinero le vendría bien.

Sí, existe la posibilidad de hacer una autoliquidación o liquidación a cuenta del impuesto a los efectos de cobrar el seguro de vida, considerándose el ingreso efectuado como un pago a cuenta de la liquidación definitiva del ISD.

2. En el momento de realizar la posterior liquidación por el valor total de los bienes y derechos heredados, ¿debe la hija del causante consignar el valor cobrado del seguro sobre la vida de su padre? ¿Y lo pagado por la liquidación del seguro?

Sí, la liquidación posterior que se realice deberá incluir la relación completa de bienes y derechos, pudiendo restar lo efectivamente pagado por la liquidación parcial hecha para el cobro del seguro. Lo pagado por la liquidación parcial para cobrar el seguro tendrá la consideración de pago a cuenta de la liquidación total.

El pago del Impuesto sobre Sucesiones y la posibilidad de aplazarlo o fraccionarlo

En el **caso de que el impuesto se presente mediante liquidación**, una vez practicadas las liquidaciones que procedan, se notificará al sujeto pasivo o al presentador y se le indicará el lugar, plazos y forma de efectuar el ingreso.

El pago de dichas liquidaciones practicadas por la Administración deberá efectuarse en los plazos establecidos en el Reglamento General de Recaudación y podrá hacerse mediante la entrega de bienes integrantes del Patrimonio Histórico Español inscritos en el Inventario General de Bienes Muebles o en el Registro General de Bienes de Interés Cultural. Además, la oficina gestora que hubiese practicado las liquidaciones podrá autorizar, a solicitud de los interesados, planteada dentro de los ocho días siguientes al de su notificación, a las entidades financieras para enajenar valores depositados en las mismas a nombre del causante y, con cargo a su importe, o al saldo a favor de aquel en cuentas de cualquier tipo, librar los correspondientes talones a nombre del Tesoro público por el exacto importe de las citadas liquidaciones. Así se desprende de los artículos 79 y 80 del RISD.

Por su parte, y sin perjuicio de los supuestos especiales de aplazamiento y fraccionamiento de pago recogidos en los artículos 82 y siguientes del RISD (que después se analizarán), serán aplicables en el ISD las normas sobre aplazamiento y fraccionamiento de pago del Reglamento General de Recaudación.

Para el **supuesto de que el contribuyente presente una autoliquidación el impuesto**, el artículo 90 del RISD especifica que, asimismo, serán aplicables con carácter general las normas del Reglamento General de Recaudación para la concesión de aplazamientos y fraccionamientos del pago. No obstante, si en el régimen de presentación de documentos correspondiese a las oficinas gestoras la competencia para acordar el aplazamiento y el fraccionamiento de pago y concurren los requisitos establecidos en los artículos 82, 83 y 84 del RISD, los interesados podrán **solicitar de la oficina competente para admitir la autoliquidación, dentro de los cinco primeros meses del plazo establecido**, la concesión del beneficio. Si la petición fuese denegada, el plazo para el ingreso se entenderá prorrogado en los días transcurridos desde el de la presentación de la solicitud hasta el de notificación del acuerdo denegatorio, sin perjuicio del abono de los intereses de demora que procedan.

En los siguientes apartados se verá en qué términos cabe el aplazamiento o fraccionamiento del pago del impuesto.

CUESTIÓN

Dos herederos van a liquidar el ISD correspondiente a la herencia de su padre y se preguntan qué plazo tienen, una vez presentada la autoliquidación, para realizar el ingreso.

El ingreso debe realizarse de manera simultánea a la presentación de la autoliquidación. No obstante, en el Impuesto sobre Sucesiones se permiten diferentes vías para llevar a cabo su pago y dependiendo de cuál se escoja puede que este se realice unos días después de su presentación. A modo de ejemplo, si el pago se efectúa a través de transferencia bancaria puede que la Administración tributaria no lo ejecute hasta pasados unos días o semanas, sin que esto determine que deba considerarse como un pago fuera de plazo para el contribuyente.

En particular, la posibilidad de aplazar o fraccionar el pago del Impuesto sobre Sucesiones

En términos generales, el aplazamiento o fraccionamiento del pago del ISD se rige por las reglas generales que recogen los artículos 44 y siguientes del Real Decreto 939/2005, de 29 de julio, por el que se aprueba el Reglamento General de Recaudación; pero con las especialidades que establece la propia normativa del impuesto, a las que luego nos referiremos.

Así, en términos generales, puede decirse que la solicitud de aplazamiento o fraccionamiento tendrá que dirigirse al órgano competente para gestionar el impuesto y deberá contener, al menos, los siguientes datos:

- Nombre y apellidos o razón social o denominación completa, número de identificación fiscal y domicilio fiscal del obligado al pago y, en su caso, de la persona que lo represente.
- Identificación de la deuda cuyo aplazamiento o fraccionamiento se solicita, indicando al menos su importe, concepto y fecha de finalización del plazo de ingreso en periodo voluntario.
- Causas que motivan la solicitud de aplazamiento o fraccionamiento.
- Plazos y demás condiciones del aplazamiento o fraccionamiento que se solicita.
- En caso de ser necesaria, garantía que se ofrece, conforme a lo dispuesto en el artículo 82 de la Ley 58/2003, de 17 de diciembre, General Tributaria. La garantía, en su caso, deberá cubrir el importe de la deuda en período voluntario, de los intereses de demora que genere el aplazamiento y un 25 % de la suma de ambas partidas.
- Orden de domiciliación bancaria, indicando el número de código cuenta cliente y los datos identificativos de la entidad de crédito que deba efectuar el cargo en cuenta, cuando la Administración competente para resolver haya establecido esta forma de pago como obligatoria en estos supuestos.
- Lugar, fecha y firma del solicitante.
- Indicación de que la deuda respecto de la que se solicita el aplazamiento o fraccionamiento no tiene el carácter de crédito contra la masa en el supuesto que el solicitante se encuentre en proceso concursal.

De una manera general, el límite exento de la obligación de aportar garantías para fraccionar o aplazar el pago es de 50.000 euros (con carácter previo eran 30.000 euros). Para las deudas de la Hacienda Pública Estatal la elevación se produjo por medio de la Orden HFP/311/2023, de 28 de marzo, con entrada en vigor el 15 de abril de 2023; en el caso de que las deudas cuya gestión corresponda a las comunidades autónomas por el impuesto cedido, el límite exento se elevó también hasta ese mismo importe por la Orden HFP/583/2023, de 7 de junio, con entrada en vigor el 11 de junio de 2023.

A TENER EN CUENTA. Conviene recordar que, en el caso de las autoliquidaciones, si en el régimen de presentación de documentos correspondiese a las oficinas gestoras la competencia para acordar el aplazamiento y el fraccionamiento de pago y concurren los requisitos establecidos en los artículos 82, 83 y 84 del RISD, los interesados podrán solicitar de la oficina competente para admitir la autoliquidación, dentro de los cinco primeros meses del plazo establecido, la concesión del beneficio. Si la petición fuese denegada, el plazo para el ingreso se entenderá prorrogado en los días transcurridos desde el de la presentación de la solicitud hasta el de notificación del acuerdo denegatorio, sin perjuicio del abono de los intereses de demora que procedan.

Por lo demás, las reglas específicas que se establecen en la normativa estatal del ISD de cara al aplazamiento o fraccionamiento del pago se refieren a los siguientes supuestos:

a. Aplazamiento por término de hasta un año (artículo 82 del RISD)

Se podrá acordar el aplazamiento de las declaraciones por adquisiciones *mortis causa*, por término de hasta un año, cuando concurran las siguientes condiciones:

- Que se solicite antes de expirar el plazo reglamentario de pago.
- Que no exista inventariado entre los bienes del causante efectivo o bienes de fácil realización suficientes para el abono de las cuotas liquidadas.

La concesión del aplazamiento implicará la obligación de pagar el interés de demora vigente el día que comience su devengo.

b. Fraccionamiento hasta por cinco mensualidades (artículo 83 del RISD)

Por otro lado, se podrá acordar el fraccionamiento del pago en caso de adquisiciones *mortis causa*, en cinco anualidades como máximo, siempre que concurran las siguientes condiciones:

- Que se solicite antes de expirar el plazo reglamentario de pago.
- Que no exista inventariado entre los bienes del causante efectivo o bienes de fácil realización suficientes para el abono de las cuotas liquidadas.
- Que se acompañe compromiso de constituir garantía suficiente que cubra el importe de la deuda principal e intereses de demora, más un 25 % de la suma de ambas partidas. La concesión definitiva del fraccionamiento quedará subordinada a la constitución de la garantía.

La concesión del fraccionamiento implicará la obligación de pagar el interés de demora vigente el día en que comience su devengo.

c. Aplazamiento por causahabientes desconocidos (artículo 84 del RISD)

Los administradores o poseedores de los bienes hereditarios podrán solicitar aplazamiento hasta que fueren conocidos los causahabientes en una sucesión, siempre que concurran las condiciones siguientes:

- Que se solicite antes de expirar el plazo reglamentario de pago.

- Que no exista inventariado entre los bienes del causante efectivo o bienes de fácil realización suficientes para el abono de las cuotas liquidadas.

- Que se acompañe compromiso de constituir garantía suficiente que cubra el importe de la deuda principal e intereses de demora, más un 25 % de la suma de ambas partidas. La concesión definitiva del aplazamiento quedará subordinada a la constitución de la garantía.

La concesión del aplazamiento implicará obligación de abonar el interés de demora vigente el día en que comience su devengo.

d. Aplazamiento en caso de transmisión de empresas individuales y de la vivienda habitual (artículo 85 del RISD y 39 de la LISD)

El pago de las liquidaciones giradas como consecuencia de la transmisión por herencia, legado o donación de una empresa individual que ejerza una actividad industrial, comercial, artesanal, agrícola o profesional o de participaciones en entidades a las que sea de aplicación la exención regulada en el punto dos del apartado octavo del artículo 4 de la Ley del Impuesto sobre Patrimonio, podrá aplazarse, a petición del sujeto pasivo, deducida antes de expirar el plazo reglamentario de pago o, en su caso, el de presentación de la autoliquidación, durante los **cinco años siguientes** al día en que termine el plazo para el pago, con obligación de constituir caución suficiente y sin que proceda el abono de intereses durante el período de aplazamiento.

Terminado el plazo de cinco años, podrá, con las mismas condiciones y requisitos, fraccionarse el pago en **diez plazos semestrales**, con el correspondiente abono del interés legal del dinero durante el tiempo de fraccionamiento.

Esta posibilidad también será aplicable a las liquidaciones giradas como consecuencia de la transmisión hereditaria de la vivienda habitual de una persona, siempre que el adquirente de la misma sea el cónyuge, ascendiente, o descendiente de aquel, o bien pariente colateral, mayor de 65 años, que hubiese convivido con el causante durante los dos años anteriores a su fallecimiento.

Los aplazamientos y fraccionamientos a que se refieren los párrafos anteriores afectarán a la parte proporcional de la deuda tributaria que corresponda al valor comprobado de la empresa o de la vivienda transmitidas en relación con el total caudal hereditario de cada uno de los causahabientes.

e. Fraccionamiento de la cuota derivada de las cantidades percibidas en forma de renta por contratos de seguro sobre la vida (artículo 85 bis del RISD)

Por último, se establece que en los seguros sobre la vida en los que el causante sea, a su vez, el contratante del seguro individual o el asegurado en el seguro colectivo y cuyo importe se perciba por los beneficiarios en forma de renta, vitalicia o temporal. El beneficiario podrá solicitar, durante el plazo de seis meses desde el día del fallecimiento del causante, el fraccionamiento de la parte de la cuota resultante de aplicar sobre el valor actual de la renta, vitalicia o temporal, deducida, en su caso, la cantidad prevista como reducción de las cantidades percibidas por seguros sobre la vida en el artículo 20.2.b) de la LISD, el tipo medio de gravamen.

La Administración competente para la gestión del impuesto acordará el fraccionamiento en el número de años en que se perciba la renta, si fuera temporal, o en 15 años si fuera vitalicia, no exigiéndose la constitución de ningún tipo de caución ni devengándose intereses de demora.

La Administración competente notificará al contribuyente la resolución de la solicitud en el plazo de tres meses. Si transcurrido dicho plazo no se ha notificado resolución expresa, la solicitud se considerará estimada. Solo podrá desestimarse la solicitud si está incompleta o no cumple con los requisitos fijados en la norma.

El importe del ingreso anual correspondiente al pago fraccionado resultará de dividir la cuota que se fracciona entre el número de años en los que se perciba la renta si fuera temporal, o entre 15 si fuera vitalicia. El pago anual fraccionado se ingresará en los plazos que figuren en la resolución de concesión del fraccionamiento, dentro del mes de enero siguiente a la percepción íntegra de cada anualidad de renta.

Este fraccionamiento se aplicará con las siguientes particularidades:

- En el supuesto en que se ejercite el derecho de rescate, la totalidad de los pagos fraccionados pendientes deberán ingresarse durante los 30 días siguientes a tal ejercicio.

- En el supuesto en que se produzca la extinción de la renta, solo resultará exigible el pago fraccionado pendiente que corresponda a la anualidad de renta efectivamente percibida y pendiente de ingreso.

- La responsabilidad subsidiaria de las entidades de seguros se extingue en relación con el primer pago fraccionado cuando el beneficiario acredite la obtención, en forma expresa o por silencio, de este fraccionamiento. El mantenimiento de la extinción de la responsabilidad exige la acreditación por el contribuyente ante la entidad de seguros del ingreso del pago fraccionado correspondiente a cada anualidad de renta.

- En el supuesto del ejercicio del derecho de rescate, las entidades de seguros podrán exigir la presentación de certificación expedida por la Administración tributaria sobre el importe del impuesto pendiente de pago, a los efectos de conocer la cuantía de su responsabilidad subsidiaria y, en su caso, poder entregar a los beneficiarios cheque bancario expedido a nombre de la Administración acreedora del impuesto.

CUESTIÓN

A los efectos del fraccionamiento de la cuota derivada de las cantidades percibidas en forma de renta por contratos de seguro sobre la vida, ¿qué se entiende por tipo medio de gravamen?

A estos efectos, se entenderá por tipo medio de gravamen el derivado de multiplicar por 100 el cociente resultante de dividir la cuota tributaria total a ingresar por el contribuyente por el valor de los bienes y derechos que integran su base liquidable. dicho tipo medio de gravamen se expresará con dos decimales.

4.7. El formulario y su cumplimentación

El modelo de liquidación del ISD

Llegamos ahora al último de los pasos, en el ámbito del Impuesto sobre Sucesiones, que sería la cumplimentación del modelo de autoliquidación o liquidación. Hay diferencias entre una autoliquidación y una liquidación. De manera sencilla, se distinguen en que en una autoliquidación es el sujeto pasivo el obligado a llevar el cálculo de la cuota tributaria, mientras que en las liquidaciones el sujeto pasivo está obligado exclusivamente a aportar los datos y documentación necesarios para llevar a cabo las operaciones, siendo la Administración quien efectúe los cálculos y comunique después al interesado el resultado.

Como ya se indicó en puntos anteriores, el ISD es un tributo cedido a las comunidades autónomas, que pueden asumir competencias normativas en relación con él en los supuestos en que su rendimiento se encuentre cedido a las mismas. Por ello, cada una de las regiones ha aprobado sus propios modelos de declaración, con sus reglas específicas de presentación, y resulta imposible hacer referencia a todos en una obra como esta. Así las cosas, optaremos por hacer referencia únicamente a los modelos estatales, que resultan de aplicación cuando el rendimiento del impuesto no se encuentre cedido a ninguna CA, por parte de aquellos contribuyentes que deban cumplir sus obligaciones por el impuesto ante la Administración tributaria del Estado.

Dichos modelos fueron aprobados por medio de la Orden HAP/2488/2014, de 29 de diciembre, por la que se aprueban los modelos 650, 651 y 655 de autoliquidación del Impuesto sobre Sucesiones y Donaciones, y se determina el lugar, forma y plazo para su presentación. Básicamente, sus características son las siguientes:

Modelo	Documentación básica	Algunas particularidades
Modelo 650 (adquisiciones *mortis causa)* Declaración ordinaria. Válido para causantes o sujetos pasivos no residentes en España.	• Fotocopias de los **DNI** del fallecido y los sujetos pasivos. • Original y copia simple de la **escritura de aceptación de herencia**. En su defecto, el **inventario de bienes y herederos**, por duplicado, en el que se señalen los datos identificativos del causante y los herederos, la designación de un domicilio a efectos de notificaciones, relación detallada de los bienes y derechos objeto de la herencia con expresión del valor de los mismos a la fecha de fallecimiento, así como de las cargas, deudas y gastos cuya deducción se solicita. • En caso de renuncia, documento notarial de la misma. • Copia del **certificado de defunción**. • Copia de **certificado de actos de última voluntad**. • Copia autorizada del **testamento** o testimonio de la **declaración de herederos** en caso de no existir testamento. En el caso de sucesión intestada, si no estuviese hecha la declaración de herederos, se presentará una relación de los presuntos con expresión de su parentesco con el causante. • En caso de discapacidad de algún heredero, fotocopia del **certificado acreditativo del grado de discapacidad** y fecha de reconocimiento.	El modelo incluye: • Una relación de bienes que debe integrar el caudal hereditario. • La autoliquidación correspondiente a cada sujeto pasivo. • Una hoja declarativa que relaciona a todos los interesados en la sucesión. En la relación de bienes se establecen apartados sucesivos relativos a cada tipo de bien, en los que los sujetos pasivos deberán especificar, dentro del apartado correspondiente, todos y cada uno de los bienes y derechos integrantes de la masa hereditaria.

Modelo	Documentación básica	Algunas particularidades
Modelo 650 (adquisiciones *mortis causa)* Declaración ordinaria. Válido para causantes o sujetos pasivos no residentes en España.	• **Bienes inmuebles**: » Copia del recibo del IBI y del título de adquisición o, en su defecto, nota simple registral. » Certificado de valor de referencia o bien certificado de carecer del mismo e informe de valoración o, a falta de él, documento que acredite la referencia catastral. • **Vehículos**: ficha técnica, permiso de circulación, valor del vehículo y documento acreditativo para la Jefatura de Tráfico. • Fotocopia de las facturas de **gastos** (entierro y última enfermedad, entierro) y de la justificación de las **deudas** del fallecido. • **Seguros de vida**: copia del certificado de la compañía de seguros. • **Dinero en cuentas o depósitos**: certificado bancario con los saldos a fecha de fallecimiento. • **Acciones o participaciones**: acreditación documental de su valor. • Poder de representación, cuando el impuesto se presente por una persona en nombre de otra. Será obligatorio en ciertos casos de contribuyentes residentes en el extranjero.	

Modelo	Documentación básica	Algunas particularidades
Modelo 655 (consolidación de dominio por extinción de usufructo) Autoliquidación	La misma documentación se solicitará para la presentación de este modelo. Cuando ya se hubiese aportado en el acto previo de adquisición de la nuda propiedad, únicamente se deberá acompañar: • **Fotocopias de los DNI del fallecido y los sujetos pasivos.** • **Certificado de defunción del usufructuario,** en caso de consolidación por fallecimiento del usufructuario, o, si la consolidación se produce por otras cusas, la documentación que justifique el motivo de la consolidación. • Original y copia simple del **documento notarial en el que se ponga de manifiesto la consolidación del dominio** en la persona del primero o sucesivo nudo propietario. • **En su defecto, el documento privado**, por duplicado, en el que se recoja la extinción del usufructo y la consiguiente consolidación del dominio, en el que se deberán señalar los datos identificativos del usufructuario y del nudo propietario (nombre, NIF, dirección completa), se indicará un domicilio a efectos de notificaciones, y se relacionarán detalladamente los bienes y derechos objeto de la consolidación. • Copia del documento (público o privado) en el que se puso de manifiesto la segregación del dominio. • Cuando el sujeto pasivo que consolida el dominio no fuese el primer nudo propietario, sino el segundo o posterior, será necesario presentar el título documento de adquisición de la nuda propiedad por su titular actual. • Poder de representación, cuando el impuesto se presente por una persona en nombre de otra y en ciertos supuestos de contribuyentes residentes en el extranjero.	• Se utilizará por aquellos sujetos pasivos que, siendo nudos propietarios de un bien o derecho, consoliden el pleno dominio por extinción del usufructo, cuando dicho usufructo se hubiese constituido como consecuencia de una transmisión a título lucrativo por una sucesión, donación u otro negocio jurídico *inter vivos*. • Deberán consignarse los datos y el valor del usufructo que se extingue, así como la liquidación de la nuda propiedad.

Como decimos, **estos modelos son los modelos estatales y las diferentes comunidades autónomas han aprobado sus respectivos modelos**. Así, para conocer cada uno de estos modelos de las comunidades autónomas deberemos dirigirnos a la sede electrónica de la Hacienda pública autonómica de la comunidad en cuestión, donde estarán colgados los distintos modelos o podrá accederse a ellos a través de medios telemáticos.

En cualquier caso, y con independencia de las diferencias que puedan existir en el nombre o en el propio modelo a efectos de cumplimentación, el esquema de liquidación a seguir en el impuesto será sustancialmente el mismo.

La cumplimentación del modelo de liquidación del Impuesto sobre Sucesiones paso a paso

Pasamos ahora a ver cómo se ha de cumplimentar el modelo estatal paso a paso. Este modelo apenas diferirá, más allá del formato de las propias páginas web o del diseño de la interfaz del asistente de ayuda a la presentación, del modelo que cada comunidad autónoma haya aprobado.

Teniendo en cuenta que todas las autoliquidaciones se rigen por el mismo esquema de liquidación, no tendría sentido que los modelos fuesen sustancialmente diferentes.

‖ Datos generales de la autoliquidación

Así, el primer paso es cumplimentar los datos generales de la presentación de la autoliquidación:

- Los **datos del documento que rige la sucesión**, es decir, del testamento o la declaración de herederos en caso de no existir este. En esta primera casilla, en caso de marcar que se trata de un documento público, deberemos consignar los datos del notario y de protocolo.

- Los **datos del causante**. En este punto, habrá que prestar especial atención a si es o no residente en España. Independientemente de la residencia o no del causante, se nos pedirá que incluyamos la localización de su residencia habitual.

- Los **datos del presentador**, que puede ser cualquier persona. En caso de ser sujetos pasivos del impuesto, se incorporarán nuestros propios datos y, en caso de realizarse por un tercero ajeno, siempre mediando el debido otorgamiento de la representación, los datos del efectivo presentador.

- Por último, se nos presentan una serie de datos de suma relevancia para la presentación. Estos son:
  - » ¿Se adquiere parte de la herencia en usufructo? Importante esta cuestión, ya que afectará al cálculo de la cuota de cada sujeto pasivo y de las reducciones que estos puedan aplicarse.
  - » Edad del usufructuario, en su caso.
  - » Número de sujetos pasivos. Esta casilla debe ser coincidente con la siguiente página que veremos, donde se establece la relación de herederos, legatarios y usufructuarios.

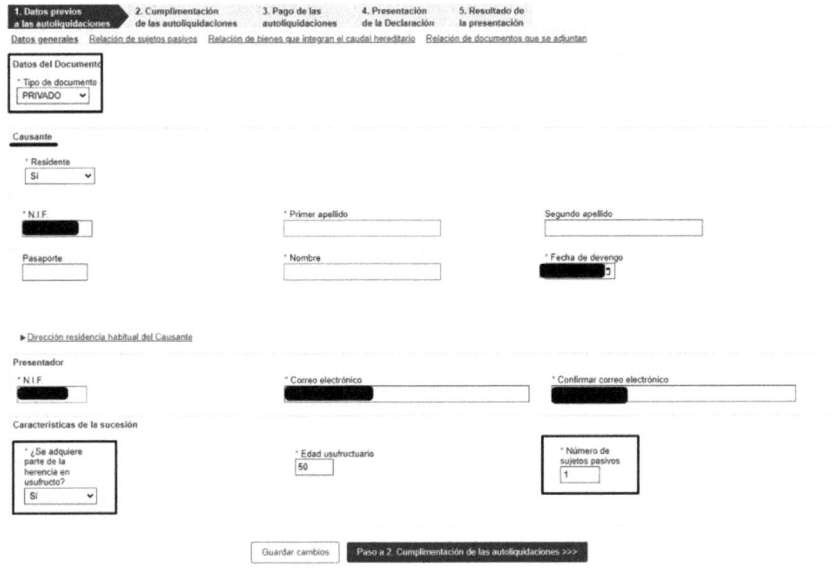

|| La relación de sujetos pasivos

Una vez cumplimentados y guardados los datos anteriores, podremos pasar a la siguiente página de la autoliquidación, seleccionándola en el panel superior: «Relación de sujetos pasivos».

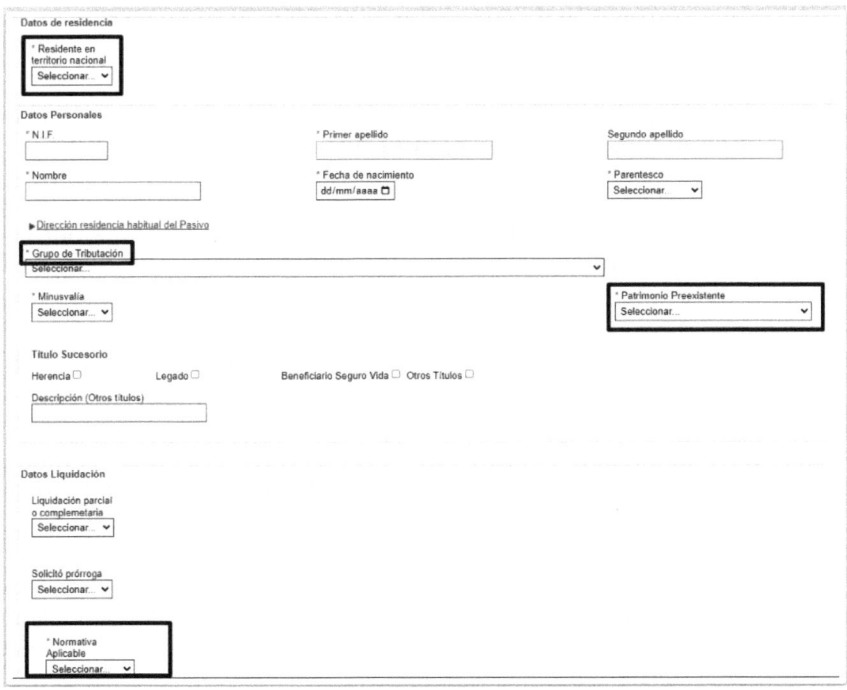

Antes de nada, habrá que cumplimentar los datos identificativos que se solicitan.

Además, en este punto deberá señalarse por qué título tiene derecho a atribuirse bienes o derechos de la herencia (a título de herencia, legado u otros títulos, que deberán especificarse), así como si es beneficiario de un seguro de vida. Igualmente, es importante indicar de manera adecuada el grupo de parentesco al que pertenece el sujeto pasivo (en el apartado «grupo de tributación»), si cuenta con discapacidad y qué tramo de patrimonio preexistente le corresponde (patrimonio que estará constituido por el patrimonio que poseía a fecha de devengo del Impuesto sobre Sucesiones y Donaciones, sin sumar el valor de los bienes heredados).

Por último, quedaría seleccionar la normativa aplicable. Al hacerlo, si se consigna que desea aplicarse la normativa autonómica, se desplegará un panel de selección para escoger la comunidad autónoma cuya normativa quiera o deba aplicarse.

|| La relación de bienes y derechos de la persona fallecida

Una vez cumplimentados todos los datos de identificación del causante y de los sujetos pasivos, y establecidas las particularidades básicas que pueden rodear a la sucesión (usufructuarios, normativa aplicable, etc.), se llegará una de las partes más relevantes de la presentación, que constituye el grueso de la autoliquidación: la incorporación del valor de los bienes, derechos y cargas que conforman la herencia.

En la página correspondiente a la «Relación de bienes que integran el caudal hereditario» aparecerán distintos desplegables, cada uno de ellos relativo a un tipo de bien, así como a las cargas, deudas, gravámenes y gastos que puedan ser deducibles.

Todos los desplegables tienen un contenido y un funcionamiento muy parecido, simplemente adaptado a cada tipo de bien. Por ejemplo, en los bienes inmuebles se recoge una casilla para consignar su referencia catastral y en los apartados de valores aparece otra casilla para consignar la entidad depositaria. Por lo demás, y como normas generales para cumplimentar los desplegables referidos a los distintos tipos de bienes, cabe destacar lo siguiente:

- En la columna referida al «porcentaje de titularidad» habrá que indicar el porcentaje del bien del que era titular el causante a la fecha de fallecimiento.

- En la columna sobre «clave título» deberá elegirse el tipo de título que pertenecía al causante a la fecha de devengo sobre el bien (pleno dominio, nuda propiedad, derecho de aprovechamiento por turno —multipropiedad—, propiedad a tiempo parcial o fórmulas similares con titularidad parcial del bien).

- En la columna relativa al «valor» se incorporará el valor real de la parte del bien incluida en el caudal hereditario. Por ejemplo, si un bien era ganancial para el matrimonio del causante, solo deberá incluirse la parte que correspondiera al fallecido.

En general, saber qué debe indicarse en cada casilla es bastante intuitivo, así que simplemente nos referiremos a tres supuestos básicos:

- El de los bienes inmuebles, como ejemplo de los correspondientes al resto de bienes.
- El de cargas y gravámenes deducibles, que es semejante al de los gastos y deudas.
- Finalmente, el correspondiente al ajuar doméstico, por su particularidad.

| La relación de bienes inmuebles

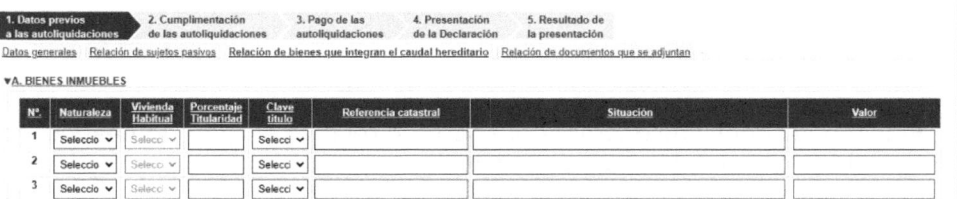

Como puede verse, este desplegable se distribuye por filas y columnas. Cada una de las filas corresponderá a un bien y cada una de las columnas a un concepto, como sería el valor del bien, su situación o el concepto a consignar.

Los campos a cubrir son, básicamente, los siguientes: el porcentaje de titularidad que sobre el bien poseía el causante, su naturaleza (pleno dominio, nuda propiedad, multipropiedad u otras), la referencia catastral, su situación y valor.

| Gastos, cargas, deudas y gravámenes deducibles

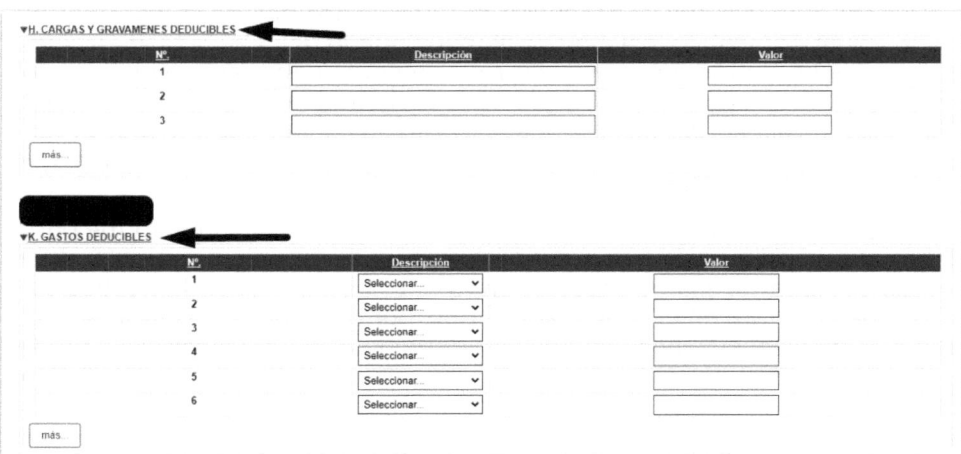

Con respecto a los gastos, cargas, deudas y gravámenes deducibles, únicamente habrá que consignar el concepto al que se refieren (describirlo brevemente) y su valor.

No obstante, será relevante diferenciarlos, ya que para los gastos puede escogerse en el desplegable entre «gastos litigiosos de la testamentaría o el *ab intestato*», «gastos de última enfermedad» y «gastos de entierro y funeral», que son los tres supuestos que configura la normativa como gastos deducibles en el impuesto. Habrá que justificarlos documentalmente.

| El ajuar doméstico

▼I. AJUAR DOMESTICO

Aviso : Sólo debe declarar un valor en "Valor catastral" si la vivienda en la que residían el causante y su conyuge está incluida dentro del caudal hereditario.

Nº.	Valor Estimado	Caudal Relicto	Valor Catastral	[16.] Valor Calculado
1				

Aviso:
Ha declarado un valor estimado del ajuar inferior al calculado en aplicación de la presunción establecida en la normativa del impuesto. Si confirma el valor estimado como cuantía a declarar deberá poder probar fehacientemente esta valoración. ¿Desea declarar el valor estimado como valor a declarar en concepto de ajuar?

Finalmente, conviene destacar el apartado relativo al ajuar doméstico, en la medida en que pueden darse tres situaciones:

- Cuando no haya hecha una valoración del ajuar doméstico, que suele ser lo más habitual, este se valorará en un 3 % del valor del caudal relicto.

- Si se conoce de manera aproximada el valor del ajuar doméstico, de manera que se pueda demostrar a través de facturas u otros documentos, se consignará ese valor estimado. Por ejemplo, si el causante poseía piezas caras de ropa, muebles de diseño, hechos a medida...; podría demostrarse que el valor del ajuar doméstico es superior al porcentaje antes referido y reflejarse dicho valor en la autoliquidación.

- La tercera situación, que constituye más una cláusula de cierre de la normativa que una realidad, sería la posibilidad de que el valor del ajuar doméstico sea inferior al mencionado del 3 %. Si bien es cierto que en la práctica puede ser relativamente habitual que el ajuar doméstico no alcance ese importe, el problema radica en que, para aplicar un ajuar inferior, será necesario justificar su valor. Y lo más probable será que no se disponga de las facturas y demás documentos que permitan acreditarlo.

Cuando la vivienda en la que el causante vivía con su cónyuge forme parte del caudal hereditario, habrá que tenerlo en cuenta y que incorporar también el valor catastral de esa vivienda. No en vano, el valor del ajuar doméstico calculado se minorará en el de los bienes que, por disposición del artículo 1321 del CC o de disposiciones análogas de derecho civil foral o especial, deben entregarse al cónyuge sobreviviente, cuyo valor se fijará en el 3 % del valor catastral de la vivienda habitual del matrimonio, salvo que los interesados acrediten fehacientemente uno superior.

A TENER EN CUENTA. Por ejemplo, será también en este apartado donde, a través de los correspondientes desplegables, deban incorporarse los bienes adicionables al caudal hereditario o las percepciones de seguros sobre la vida.

|| Documentación a adjuntar junto a la autoliquidación del ISD

En la última pestaña de este primer paso, sobre «Relación de documentos que se adjuntan», habrá que incluir los ficheros de los distintos documentos que deban aportarse. La documentación necesaria ya se expuso, en términos generales, al principio de este apartado, pero el programa determinará qué documentación resulta obligatoria o conveniente en cada caso.

Por ejemplo, la documentación básica que exigirá, al margen de la correspondiente a los bienes, deudas o gastos, será:

- Documento notarial de manifestación de herencia.
- Documento privado de manifestación de herencia.
- Certificado de defunción del causante.
- Certificado del Registro General de Actos de Última Voluntad.
- Copia del testamento.
- Copia de la declaración de herederos.
- Poder de representación, obligatorio en el caso de no residentes.
- Copia del NIF de los herederos.

En la siguiente imagen podemos ver cómo se divide la documentación a aportar entre obligatoria y complementaria en la interfaz de presentación del modelo estatal.

En cuanto a los formatos para adjuntar los distintos documentos, pueden enviarse tanto archivos de texto como PDF o imágenes. A modo de recomendación, lo mejor sería adjuntar documentos en PDF, que es un formato no modificable de texto.

Habrá que marcar individualmente cada uno de los documentos que se adjuntan e incorporarlo clicando en «adjuntar fichero».

‖ Últimos pasos

Adjuntados los documentos oportunos, siempre que no existan errores, puede accederse al paso de «Cumplimentación de las autoliquidaciones», siendo importante guardar los datos antes de continuar. En dicho apartado de cumplimentación de autoliquidaciones, pulsando sobre el número de orden o el nombre del sujeto pasivo podrá accederse al detalle de la autoliquidación para completar la cumplimentación.

Entre otras cuestiones, habrá que introducir los beneficios fiscales que en cada caso procedan (reducciones, deducciones, bonificaciones), siempre que se den las condiciones para su aplicación.

Pulsando en «simular» se obtendrá un PDF con el resultado de la autoliquidación, que no es válido para la presentación, pero que permitirá consultar la simulación de autoliquidación y del modelo completo. Tras comprobar que todos los datos correctos, puede irse al paso siguiente, de «Pago de las autoliquidaciones». Con ello, se bloquearán los datos consignados hasta ese momento y podrá seleccionarse el tipo de ingreso que se desee; según la opción, habrá que incluir o no un Número de Referencia Completo (NRC).

Finalmente, podrá procederse a la firma y envío de la declaración, en el último paso de «Presentación de la declaración». En caso de presentación correcta, el programa generará varios resguardos de presentación, con los distintos justificantes, que deberían guardarse o imprimirse. También podrá generarse el modelo completo en PDF con los ejemplares correspondientes.

ANEXO.
CASOS PRÁCTICOS

Caso práctico | Tributación en el ISD del saldo de una cuenta bancaria indistinta con varios titulares

PLANTEAMIENTO

Tras el fallecimiento de un matrimonio, siete familiares resultan herederos de distintos bienes, de entre los cuales figura una cuenta bancaria con un saldo medio de 120.599,44 euros. En esa cuenta aparecía también como cotitular uno de los familiares, que había sido incluido años antes únicamente para ayudar al matrimonio en las gestiones diarias y poder operar con el banco.

Al preparar el Impuesto sobre Sucesiones, ese familiar sostiene que solo debe incluirse en la herencia el 50 % del saldo, esto es, 60.299,72 euros, porque entiende que la otra mitad le pertenece por figurar como titular de la cuenta.

¿El mero hecho de ser cotitular de una cuenta bancaria permite entender que ese familiar era dueño del 50 % del dinero y excluir esa parte del caudal hereditario?

RESPUESTA

No. El mero hecho de aparecer como cotitular en una cuenta bancaria no convierte, por sí solo, en propietario del dinero depositado ni permite presumir que le corresponda el 50 % del saldo.

En el Impuesto sobre Sucesiones, el hecho imponible es la adquisición de bienes y derechos por herencia, legado o cualquier otro título sucesorio, conforme a los artículos 1, 3.1.a) y 5.a) de la LISD. Por tanto, deben tributar los causahabientes por los bienes y derechos que realmente integren el patrimonio del fallecido.

La clave está en distinguir entre **facultad de disposición y propiedad** del dinero. Que una persona figure como titular indistinto de una cuenta significa, frente al banco, que puede operar con ella. Pero eso no prueba que el dinero sea suyo. La titularidad real de los fondos depende de quién aportó el dinero y de las relaciones internas entre los titulares.

Este criterio ha sido mantenido por el Tribunal Supremo, entre otras, en la STS n.º 1090, de 19 de diciembre de 1995, ECLI:ES:TS:1995:6498, que recopila la doctrina de sentencias anteriores y recuerda que la cotitularidad bancaria no implica por sí misma condominio sobre el saldo. La sentencia explica que la cuenta indistinta atribuye facultades de disposición frente a la entidad bancaria, pero no acredita la propiedad del dinero. La titularidad dominical debe probarse por quien la alegue.

En el mismo sentido se pronuncia la Dirección General de Tributos en la **consulta vinculante (V2064-25), de 5 de noviembre de 2025**, o en la **consulta vinculante (V0392-24), de 12 de marzo de 2024**, al analizar un supuesto en el que un familiar figuraba como cotitular de la cuenta solo para ayudar a los causantes en las gestiones cotidianas. La DGT concluye que, si los fondos procedían del matrimonio fallecido, el saldo debe atribuirse íntegramente a estos y, tras su fallecimiento, integrarse en el caudal relicto para su adjudicación a los herederos.

Además, una vez fallece el verdadero titular del dinero, la parte del saldo que le pertenecía pasa a su herencia, de acuerdo con los artículos 659 y 661 del Código Civil. Desde ese momento, esa parte ya no puede considerarse libremente disponible por el otro cotitular como si fuera propia.

Aplicado al caso, si el familiar fue incluido en la cuenta solo para facilitar gestiones bancarias y no puede acreditar que aportó fondos propios, no puede apropiarse del 50 % del saldo ni excluirlo de la herencia. En consecuencia, los 120.599,44 euros deberán computarse en la masa hereditaria en la medida en que correspondan al patrimonio de los causantes, tributando los siete herederos por la parte que les corresponda en el Impuesto sobre Sucesiones.

Solo si ese cotitular acreditara de forma fehaciente que una parte del dinero era realmente suya podría excluirse esa parte del caudal hereditario. Pero esa titularidad no se presume por el simple hecho de figurar en la cuenta.

Caso práctico | Intereses de demora en la prórroga del plazo de presentación del ISD

PLANTEAMIENTO

Tras el fallecimiento de una causante, varios sobrinos resultan legatarios de un inmueble y de un legado de dinero integrado por el saldo existente en cuentas bancarias, valores y otros productos financieros, una vez detraída la cantidad necesaria para satisfacer la tributación correspondiente al heredero fiduciario designado en el testamento.

La sucesión presenta cierta complejidad por la existencia de una sustitución fideicomisaria, de modo que el heredero fiduciario, al no tener facultad de disposición sobre los bienes, debe tributar inicialmente en los términos previstos para el usufructuario. Además, los legatarios, ante la dificultad de cuantificar con exactitud el importe del legado dinerario y preparar la autoliquidación del Impuesto sobre Sucesiones y Donaciones, solicitan dentro de plazo la prórroga de seis meses para presentar la correspondiente declaración.

Una vez concedida la prórroga, surge la duda de si durante ese período adicional solo se difiere la presentación de la autoliquidación o si, por el contrario, también se devengan intereses de demora desde la finalización del plazo ordinario de seis meses hasta la fecha efectiva de presentación del impuesto dentro del plazo prorrogado.

¿La concesión de la prórroga para presentar el ISD en adquisiciones *mortis causa* obliga al pago de intereses de demora, aunque la declaración se presente dentro del plazo ampliado concedido por la Administración?

RESPUESTA

Sí. La prórroga del plazo de presentación del Impuesto sobre Sucesiones y Donaciones en adquisiciones por causa de muerte lleva aparejada la obligación de satisfacer intereses de demora por el tiempo transcurrido desde la finalización del plazo ordinario de seis meses hasta la presentación efectiva de la declaración dentro del plazo prorrogado.

A efectos del devengo, el apartado 1 del artículo 24 de la LISD establece que, en las adquisiciones por causa de muerte, el impuesto se devenga el día del fallecimiento del causante. Cuando la efectividad de la adquisición esté suspendida por fideicomiso u otra limitación, el artículo 24.3 prevé reglas específicas sobre el momento de realización de la adquisición.

El artículo 68.1 del RISD permite a la oficina competente otorgar prórroga para la presentación de documentos o declaraciones relativos a adquisiciones por causa de muerte por un plazo igual al ordinario de presentación. Y el artículo 68.6 del mismo Reglamento es terminante al señalar que la prórroga concedida «*llevará aparejada la obligación de satisfacer el interés de demora correspondiente hasta el día en que se presente el documento o la declaración*».

Este mandato reglamentario se corresponde con la previsión legal contenida en el apartado 1 del artículo 38 de la LISD, según el cual los órganos competentes pueden acordar el aplazamiento del pago de las liquidaciones practicadas por causa de muerte y la concesión de dicho aplazamiento implica la obligación de abonar el interés de demora correspondiente. A su vez, el artículo 26 de la **Ley 58/2003, de 17 de diciembre, General Tributaria**, configura el interés de demora como una prestación accesoria exigible, entre otros supuestos, cuando se realiza un ingreso fuera del plazo establecido o cuando finaliza el plazo de presentación sin haberse presentado correctamente la autoliquidación o declaración, sin necesidad de requerimiento previo ni de acreditar culpabilidad del obligado tributario.

La **consulta vinculante de la Dirección General de Tributos (V0322-24), de 5 de marzo de 2024**, confirma expresamente este criterio. La DGT concluye que, **dado que la prórroga en la presentación del ISD implica un aplazamiento del pago, el devengo de intereses de demora está plenamente previsto en la Ley y desarrollado por el RISD, por lo que deben exigirse por los días transcurridos desde la finalización del plazo ordinario de seis meses hasta la efectiva presentación de la declaración dentro del plazo prorrogado.**

Aplicado al caso, los legatarios no evitan los intereses de demora por el mero hecho de presentar el impuesto dentro de la prórroga concedida. La prórroga les permite presentar válidamente la declaración fuera del plazo ordinario sin incurrir en presentación extemporánea no amparada, pero no neutraliza el coste financiero derivado del diferimiento temporal del pago. En consecuencia:

- Deberán tributar por los bienes y derechos efectivamente adquiridos, incluido el legado dinerario que resulte tras descontar la tributación del fiduciario calculada conforme a su posición de usufructuario, si carece de facultad de disposición.

- Si solicitaron y obtuvieron la prórroga dentro del plazo reglamentario, podrán presentar la declaración en el plazo ampliado.

- Aun presentando en plazo prorrogado, se devengarán intereses de demora desde el día siguiente al término del plazo ordinario de seis meses hasta la fecha de presentación efectiva.

- La exigencia de esos intereses no depende de que exista requerimiento administrativo ni de que concurra culpa o negligencia del contribuyente.

En definitiva, **la prórroga en el ISD no opera como una suspensión gratuita del plazo, sino como un diferimiento legalmente permitido que comporta el pago de intereses de demora.**

Caso práctico | Bienes que integran el ajuar doméstico a efectos del ISD

PLANTEAMIENTO

Tras el fallecimiento de un contribuyente, sus herederos presentan la autoliquidación del Impuesto sobre Sucesiones y Donaciones. En el caudal relicto figuran una vivienda habitual con su mobiliario, saldo en cuentas bancarias, acciones de una sociedad mercantil, participaciones financieras y varios inmuebles arrendados. Además, el causante había ordenado en testamento determinados legados a favor de algunos sucesores.

La Administración tributaria aplica la presunción del artículo 15 de la Ley 29/1987, de 18 de diciembre, del Impuesto sobre Sucesiones y Donaciones, y calcula el ajuar doméstico en el 3 % del caudal relicto. Los interesados discrepan porque entienden que no todos los bienes hereditarios pueden integrar ese concepto, en particular el dinero, los valores mobiliarios, las acciones, los inmuebles y demás bienes susceptibles de producir renta. También dudan de si los bienes transmitidos mediante legado deben incluirse en la base de cálculo del ajuar doméstico.

¿Qué bienes integran el ajuar doméstico a efectos del ISD y deben incluirse en la base de cálculo del 3 % prevista en el artículo 15 de la LISD? ¿Deben computarse también los bienes transmitidos por legado?

RESPUESTA

Sí, los bienes transmitidos mediante legado deben computarse en la base de cálculo del ajuar doméstico, pero no porque todo el caudal relicto forme sin distinción ajuar doméstico, sino porque los legados forman parte del caudal relicto sobre el que opera la presunción del artículo 15 de la LISD. Ahora bien, el concepto de ajuar doméstico no comprende todos los bienes de la herencia, sino únicamente los bienes muebles afectos al servicio de la vivienda familiar o al uso personal del causante.

El artículo 15 de la LISD, establece que el ajuar doméstico forma parte de la masa hereditaria y se valorará en el 3 por ciento del importe del caudal relicto del causante, salvo que los interesados asignen un valor superior o prueben fehacientemente su inexistencia o que su valor es inferior. Se trata, por tanto, de una **presunción *iuris tantum***, no de una regla absoluta.

La doctrina jurisprudencial sobre esta materia ha sido fijada por la **STS n.º 1160/2022, de 20 de septiembre, ECLI:ES:TS:2022:3422**, el Tribunal Supremo distingue dos planos:

- En primer lugar, delimita qué debe entenderse por ajuar doméstico. Conforme a esa jurisprudencia, **el ajuar doméstico comprende el conjunto de bienes muebles corporales afectos al servicio de la vivienda familiar o al uso personal del causante**, en relación con el artículo 1321 del Código Civil y el artículo 4.Cuatro de la Ley 19/1991, de 6 de junio, del Impuesto sobre el Patrimonio.

- En segundo lugar, precisa qué **bienes quedan excluidos por su propia naturaleza**. El Tribunal Supremo declara expresamente que quedan fuera del concepto de ajuar doméstico los inmuebles, el dinero, los títulos valores, las acciones y participaciones sociales, los bienes afectos a actividades económicas o profesionales y, en general, los bienes susceptibles de producir renta. Sobre estos bienes no es exigible al contribuyente una prueba específica de exclusión, porque su propia naturaleza los sitúa extramuros del concepto jurídico-fiscal de ajuar doméstico.

Según el Alto Tribunal, la presunción legal del 3 % solo puede operar sobre bienes que, por su identidad, valor y función, sean aptos para integrar el ajuar doméstico. De lo contrario, se vaciaría de contenido la posibilidad legal de destruir la presunción mediante prueba en contrario.

Aplicando esa misma doctrina, la **STS n.º 1160/2022, de 20 de septiembre, ECLI:ES:TS:2022:3422**, resuelve la cuestión específica de los legados. El Tribunal Supremo declara que **los bienes transmitidos mediante legado sí forman parte del caudal relicto,** pues la herencia comprende todos los bienes, derechos y obligaciones que no se extingan por la muerte, conforme al artículo 659 del Código Civil. Por ello, al cuantificar la base imponible del ISD, **en la base de cálculo del ajuar doméstico deben incluirse los bienes objeto de legado.**

Desde un punto de vista práctico, el criterio aplicable es el siguiente:

- Integran el ajuar doméstico los muebles, enseres, ropas, utensilios domésticos y demás bienes muebles corporales destinados al uso personal del causante o al servicio de la vivienda.

- Quedan excluidos, por su naturaleza, el dinero en cuentas, depósitos, acciones, participaciones, fondos, títulos, activos financieros, inmuebles, locales, fincas rústicas, bienes afectos a actividad económica y, en general, bienes productores de renta.

- El 3 por ciento del artículo 15 de la LISD es una presunción que puede destruirse acreditando la inexistencia de ajuar o su valor inferior.

- Los bienes transmitidos por legado forman parte del caudal relicto y, por tanto, entran en la consideración global de la herencia a estos efectos.

En consecuencia, en un supuesto como el planteado, no procede incluir automáticamente en el ajuar doméstico todo el patrimonio hereditario. Solo pueden integrar ese concepto los bienes muebles de uso personal o doméstico. Sin embargo, si existen legados, los bienes legados forman parte del caudal relicto del causante, por lo que no pueden excluirse de la herencia a estos efectos por el solo hecho de haberse transmitido a título particular.

Caso práctico | ¿Es obligatoria la declaración de herederos para presentar el ISD en una herencia sin testamento?

PLANTEAMIENTO

Una mujer fallece el 1 de abril de 2025, viuda y con último domicilio en Cuenca, sin haber otorgado testamento, según consta en el certificado del Registro General de Actos de Última Voluntad. Sus únicos familiares llamados a la herencia son sus cinco hijos, circunstancia que puede acreditarse mediante el libro de familia y los certificados de nacimiento.

El caudal hereditario conocido está integrado, fundamentalmente, por el saldo de una cuenta corriente. Los hijos pretenden presentar dentro del plazo de seis meses la autoliquidación del Impuesto sobre Sucesiones y Donaciones ante la oficina competente de Castilla-La Mancha, acompañando certificado de defunción, certificado de últimas voluntades negativo, documentación acreditativa de la filiación, certificado bancario, relación de herederos y certificado negativo de seguros de cobertura de fallecimiento.

La duda surge porque todavía no se ha formalizado acta notarial ni declaración judicial de herederos abintestato. ¿Puede tramitarse y presentarse el Impuesto sobre Sucesiones y Donaciones sin aportar previamente esa declaración formal de herederos?

RESPUESTA

Conforme a la normativa estatal no es imprescindible aportar previamente una declaración formal de herederos abintestato, notarial o judicial, para presentar la autoliquidación del Impuesto sobre Sucesiones y Donaciones en una sucesión intestada, siempre que no esté hecha esa declaración y se aporte una relación de los presuntos herederos con expresión de su parentesco con la causante.

La adquisición hereditaria está sujeta al impuesto por el concepto de sucesiones, al constituir hecho imponible la adquisición de bienes y derechos por herencia, legado o cualquier otro título sucesorio, de acuerdo con los artículos 1, 3 y 5 de la Ley 29/1987, de 18 de diciembre, del Impuesto sobre Sucesiones y Donaciones.

En cuanto a la documentación exigible, el apartado 4 del artículo 66 del Reglamento del Impuesto sobre Sucesiones y Donaciones, aprobado por Real Decreto 1629/1991, de 8 de noviembre, dispone que, en adquisiciones por causa de muerte, deben aportarse, entre otros documentos, las certificaciones de defunción y del Registro General de Actos de Última Voluntad. Además, si hay testamento, debe presentarse copia autorizada de las disposiciones testamentarias y, en su defecto, testimonio de la declaración de herederos. Ahora bien, en caso de sucesión intestada, si no estuviera hecha la declaración judicial de herederos, la norma permite presentar una relación de los presuntos herederos con expresión de su parentesco con el causante.

Este criterio ha sido confirmado por la Dirección General de Tributos en la **consulta vinculante (V1206-25), de 3 de julio de 2025**, que concluye que, a efectos de la normativa estatal, **no resulta necesario aportar la declaración formal de herederos abintestato para tramitar el impuesto si todavía no se ha formalizado y se presenta la documentación sustitutiva prevista reglamentariamente**.

Aplicado al caso, los cinco hijos pueden presentar en plazo la autoliquidación del impuesto con el certificado de defunción, el certificado negativo de últimas voluntades, el libro de familia, los certificados de nacimiento, el certificado bancario del saldo a la fecha de fallecimiento, la relación de herederos y el certificado negativo de seguros, sin que la falta de declaración formal de herederos impida por sí sola la tramitación desde la perspectiva de la normativa estatal.

No obstante, debe tenerse en cuenta una precisión relevante. La Ley 22/2009, de 18 de diciembre, en sus artículos 48 y 55, atribuye a las comunidades autónomas competencias en materia de gestión y liquidación del impuesto. Por ello, la comunidad autónoma competente puede haber aprobado reglas específicas sobre la documentación que debe acompañar a la autoliquidación.

En consecuencia, aunque **con arreglo a la normativa estatal no sea obligatoria la declaración formal de herederos en este supuesto, la oficina gestora autonómica podría exigir documentación adicional si así lo prevé su normativa propia**.

Por tanto, la respuesta práctica es doble: con la normativa estatal, sí puede presentarse el Impuesto sobre Sucesiones sin declaración formal de herederos; pero conviene verificar antes si la comunidad autónoma donde deba tramitarse la autoliquidación exige algún documento adicional.

Caso práctico | ¿Cómo tributa la renuncia a la herencia en el ISD?

PLANTEAMIENTO

«A», «B» y «C», hermanos, son llamados a la herencia de su padre por partes iguales. «A» y «B» no quieren recibir su parte y desean que esta pase a «C».

Antes de formalizar la operación, se plantean dos posibilidades: renunciar pura, simple y gratuitamente a la herencia, o renunciar en favor de «C» de forma expresa. Además, dudan de si el hecho de haber presentado la autoliquidación del Impuesto sobre Sucesiones y Donaciones implica por sí mismo que la herencia ya ha sido aceptada.

En estas circunstancias, ¿puede «C» liquidar toda la adquisición en una única autoliquidación del Impuesto sobre Sucesiones y Donaciones, o será necesario distinguir entre la tributación de la herencia y la derivada de la renuncia de «A» y «B»?

RESPUESTA

La respuesta varía en función de la forma en la que **haga la renuncia**.

La regulación aplicable se contiene en el **artículo 28 de la Ley 29/1987, de 18 de diciembre, del Impuesto sobre Sucesiones y Donaciones**, y en el **artículo 58 del Reglamento del Impuesto sobre Sucesiones y Donaciones, aprobado por Real Decreto 1629/1991, de 8 de noviembre**. Desde el punto de vista civil, deben tenerse en cuenta los **artículos 988 a 1009 del Código Civil**, y, en particular, el **artículo 1000 del Código Civil**, que determina cuándo la herencia se entiende aceptada.

Conforme al criterio administrativo mantenido por la **Dirección General de Tributos en la consulta Vinculante (V0975-05), de 31 de mayo de 2005**, y reiterado, entre otras, por la **consulta vinculante (V1786-25), de 8 de octubre de 2025**, la tributación varía según estemos ante una **renuncia pura, simple y gratuita** o ante una **renuncia a favor de persona determinada**.

1. Si «A» y «B» renuncian pura, simple y gratuitamente

En este caso, **no tributan los renunciantes**. A efectos fiscales se entiende que no han llegado a aceptar la herencia, por lo que no adquieren la condición de sujetos pasivos del impuesto por esa porción hereditaria.

Tributará únicamente el beneficiario de la renuncia, esto es, **«C»**, por la parte que le corresponda inicialmente y por la que adquiere como consecuencia de la renuncia de sus hermanos. En este supuesto, la herencia sigue siendo única y, tal como indica la **consulta vinculante de la DGT (V1786-25), de 8 de octubre de 2025, procede una única autoliquidación del Impuesto sobre Sucesiones y Donaciones** por toda la adquisición hereditaria efectivamente recibida por «C».

Además, la misma consulta aclara una cuestión práctica relevante: **la mera presentación de la autoliquidación del Impuesto sobre Sucesiones y Donaciones y su pago no implican, por sí solos, aceptación tácita de la herencia**. Por tanto, si «A» y «B» solo han presentado el impuesto, pero no han realizado actos que supongan aceptación conforme al Código Civil, todavía podrán efectuar una repudiación pura, simple y gratuita con los efectos fiscales del artículo 28.1 de la LISD.

2. Si «A» y «B» renuncian en favor de «C» de forma expresa, o la renuncia no es pura, simple y gratuita

Si la renuncia se hace **en favor de persona determinada**, como ocurre cuando se renuncia directamente a favor de «C», la regla cambia. En ese caso, la normativa fiscal entiende que el renunciante **sí ha aceptado la herencia** y que, después, transmite su parte al beneficiario.

Ello da lugar a **dos hechos imponibles distintos**:

- Primero, la **adquisición hereditaria** por «A» y «B», sujeta al Impuesto sobre Sucesiones y Donaciones, por el concepto de adquisición *mortis causa*.

- Segundo, la **transmisión posterior** de «A» y «B» a favor de «C».

Esta segunda transmisión tributará:

- Por el **Impuesto sobre Sucesiones y Donaciones, modalidad donación**, si la renuncia o cesión es gratuita.

- Por el **Impuesto sobre Transmisiones Patrimoniales y Actos Jurídicos Documentados, modalidad transmisiones patrimoniales onerosas**, si la renuncia se hace a cambio de precio.

Este criterio resulta del **artículo 28.2 de la LISD** y del **artículo 58.2 del RISD**, y fue expuesto ya en la mentada **consulta vinculante de la DGT (V0975-05), de 31 de mayo de 2005**, manteniéndose en la doctrina posterior.

3. Si la renuncia se produce una vez prescrito el impuesto sucesorio

En tal caso, la renuncia o repudiación **se reputa fiscalmente como donación**, de acuerdo con el **artículo 28.3 de la LISD** y el **artículo 58.3 del RISD**.

Aplicación al caso planteado

Si «A» y «B» quieren que solo tribute «C» y evitar una doble tributación, la renuncia debe articularse como **repudiación o renuncia pura, simple y gratuita**, sin designación individualizada a favor de «C», operando entonces el efecto sucesorio correspondiente. En ese supuesto, «C» tributará en el ISD por toda la porción hereditaria que finalmente adquiera y podrá hacerlo en **una sola autoliquidación**.

Por el contrario, si «A» y «B» renuncian **directamente en favor de «C»**, o si existe contraprestación, **no basta una sola liquidación sucesoria**: habrá que liquidar, además de la herencia de los renunciantes, la posterior transmisión de sus derechos a favor de «C», ya sea como donación o como transmisión onerosa, según proceda.

En definitiva, **sí puede haber una única autoliquidación en el ISD, pero solo cuando la renuncia sea pura, simple y gratuita y no suponga aceptación previa de la herencia**. Si la renuncia se hace a favor de «C» de forma determinada, existirán **dos tributaciones diferenciadas**.